Vorwort
Shanghai gestern und heute

Ich wuchs in Shanghai auf, lebte mit meinen Eltern in einer klei-
nen Gasse an der Shandong Lu und war eines jener fröh-
lichen, zufriedenen Kinder, die mit ihren Spielkameraden das
Geflecht der Straßen, Gassen und Gässchen durchstreiften.
Manchmal, wenn die Hausaufgaben gemacht waren und ein
bisschen Taschengeld in unseren Taschen klimperte, rannten
wir an die Straßenecke, um uns »stinkenden Tofu« am Spieß
mit scharfer Chilisoße zu kaufen oder ein paar gebratene Teig-
täschchen mit Schweinefleisch- oder Krabbenfüllung. In jenen
Jahren vor Ausbruch der Kulturrevolution 1966 habe ich nie-
mals daran gedacht, aus dieser Gegend, die wahrhaftig keine
vornehme ist, wegzuziehen. Sie erschien mir einfach ideal,
alles war so praktisch, so perfekt.
Unsere Gasse liegt im Herzen der Stadt. Weniger als zehn
Gehminuten südlich lockte der Stadtgott-Tempel mit seiner
Vielfalt an typischen Shanghaier Snacks – ein Freund von mir
hat einmal mehr als hundert verschiedene Sorten gezählt.
Nach Norden erreicht man in noch kürzerer Zeit die Nanjing
Lu, Shanghais traditionelle Einkaufsmeile, und wer das schi-
ckere Angebot auf der Huaihai Lu bevorzugt, hat es ebenfalls
nicht weit. Stand man abends im Eingang der Gasse, so trug
der Wind manchmal das Tuten der Lastkähne vom Huangpu
herüber, ein vertrauter, wunderbarer Klang.
Für mich bestand der Vorteil dieser Wohnlage vor allem in
ihrer kulinarischen Dichte, man hatte alle Köstlichkeiten in un-
mittelbarer Reichweite. Zu den zahlreichen Restaurants die-
ser Gegend kamen die Essstände. Der Hinterausgang unserer
Gasse führte auf eine Straße, in der sich eine Garküche an die
andere reihte. Es dauerte nur Minuten, bis ich mit ihrem noch

warmen Angebot nach Hause gerannt war. Und das alles für ein paar Cent.

Nach den tragischen Ereignissen auf dem Platz des Himmlischen Friedens in Peking im Sommer 1989 beschloss ich, in den Vereinigten Staaten zu bleiben. Dort begann ich, auf Englisch zu schreiben. Allem Anschein nach war ich in diesem fremden Land, dieser fremden Sprache angekommen. Doch sobald sich die Verhältnisse in China zu ändern begannen, kam ich zurück, immer wieder, jedes Jahr. Manchmal unter dem Vorwand, für ein Buch zu recherchieren, manchmal auch ohne solche Ausreden, aus einem »Shanghai-Komplex« heraus, wie meine Freunde scherzhaft behaupten.

Jedes Mal kehre ich in die kleine Gasse an der Shandong Lu zurück. Sie hat ihren Reiz für mich nicht eingebüßt, obwohl ich den Tofu-Verkäufer mit seinem mobilen Wok auf einem primitiven Karren vermisse, der sich vor ein paar Jahren zur Ruhe gesetzt hat und dessen Platz jetzt ein Stand mit Suzhou-Nudeln einnimmt.

Bei dem gegenwärtigen Bauboom in Shanghai ist abzusehen, dass das alte Haus, in dem ich aufwuchs, bald einem neuen Hochhauskomplex wird weichen müssen. In einen der Räume im Parterre ist mittlerweile ein preiswertes und stark frequentiertes Schnellrestaurant eingezogen. Die Essensdüfte und der Lärm der Gäste sind manchmal zu viel der Ablenkung, weshalb ich inzwischen lieber im Hotel wohne, immer aber in meiner alten Gegend. Hier ist auch Oberinspektor Chen, der Ermittler meiner Kriminalromane und ebenfalls ein leidenschaftlicher Esser, unterwegs.

Als dann Susanne, Freundin und Übersetzerin aus Deutschland, sich mit der Idee für dieses Buch meldete, war ich sofort begeistert. Es gilt, dies alles festzuhalten, bevor es verschwindet, außerdem ist mir die Rolle des Gourmets und Gastgebers nicht fremd. Wir wählten unser Hauptquartier in meinem alten Viertel, in Laufdistanz zu all den Shanghaier Köstlichkeiten, über die hier zu sprechen sein wird. Von hier aus starteten wir

unsere gastronomischen Erkundungen; selten haben Recher-
chen für ein Buch so viel Spaß gemacht.

Qiu Xiaolongs Krimis zu übersetzen ist ein mundwässerndes
Geschäft. Nicht selten knurrt mir der Magen, wenn ich am
Computer sitze und in deutsches Vokabular zu fassen suche,
was im jeweiligen Roman gerade wieder gekocht oder gegessen wird. Nach fünf Lebens- und Arbeitsjahren in China und
vielen Reisen dorthin, weiß mein Magen meist genau, wovon
die Rede ist, und reagiert mit erwartungsvollem Grummeln,
wo es doch leider nur um Literatur geht.
Die liebevoll geschilderte Zubereitung von Speisen in diesen
Büchern sowie die häufigen Restaurantbesuche des Oberinspektors ließen bereits ahnen, dass der Autor gutes Essen
schätzt. Und so war es dann auch. Bei unseren gemeinsamen
Lesereisen quer durch Deutschland und Österreich sah ich
mich einem Chinesen gegenüber, der sich interessiert und ri-
sikofreudig der deutschen Küche aussetzte. Und wenn diese
Küche, wie oftmals im Speisewagen der Deutschen Bahn,
zu wünschen übrig ließ, retteten wir die Situation, indem wir
diskutierten, wie man den zerkochten Fisch oder das zähe
Fleisch auf chinesische Art besser und schmackhafter hätte
zubereiten können.
Es war daher naheliegend, ihn für die Mitarbeit an einem Band in
der Reihe »Oasen für die Sinne« zu gewinnen. Er ließ sich nicht
lange bitten, und wir haben uns in Shanghai getroffen. Es gibt
kaum eine bessere Art, eine Stadt kennenzulernen, als mit
einem einheimischen Gourmet dort unterwegs zu sein. Ich habe
die Schauplätze besucht und Speisen gekostet, die ich zuvor
lediglich verbal zu verdauen und zu verdeutschen hatte. Ich
habe wie Hauptwachtmeister Yu und seine Familie Nudeln im
»Alten Halbplatz« geschlürft, wie Oberinspektor Chen im »Xinya«
gespeist, bin im »Deda« bei Kaffee und Kuchen gesessen, und

wir haben gemeinsam so manches entdeckt und vorgekostet, was in künftigen Büchern auf den Tisch kommen wird.

Shanghai ist eine Oase der Sinne, und zwar aller Sinne. Abgesehen vom raffinierten Gaumenkitzel, wird in China immer auch mit den Augen gegessen; Farbzusammenstellung und Schneidetechnik spielen in der chinesischen Küche von jeher eine große Rolle. Da man häufig auf der Straße isst, begleiten oft laute Verkehrsgeräusche das Mahl; auch ein mit fröhlich essenden Chinesen angefüllter Speisesaal kann einiges an Dezibel entwickeln. Das höchste Lob, das Chinesen einem Lokal zollen können, ist denn auch der Ausdruck renao, *wörtlich übersetzt »heiß und laut«, eine Kombination, die anerkennend zum Ausdruck bringt, dass hier »was los ist«. Und nicht zuletzt werden beim Flanieren die Riechnerven gereizt, im Positiven wie im Negativen.*

Auf unseren kulinarischen Streifzügen ist ein Buch entstanden, das unterschiedliche Essgewohnheiten und -kulturen dieser Stadt vorstellt, und zwar von der einfachen Straßenküche bis zur Nouvelle Shanghai Cuisine, von der individuell verordneten Heilspeise bis zum inszenierten Nostalgielokal. Dabei werden historische Hintergründe und aktuelle Ereignisse beleuchtet, und es wird von den Menschen und ihrer Esskultur erzählt.

Authentische Shanghaier Küche in den Westen zu verpflanzen ist schwierig, meist mangelt es an den nötigen frischen Zutaten. Aber schlimmer noch: Es fehlt das lebendige Flair dieser Stadt und seiner Lokale, denn die Shanghaier gehen viel lieber auswärts essen, als dass sie zu Hause kochen. Damit die Leser sich dennoch ein paar Kostproben in die eigene Küche holen können, sind den Kapiteln Rezepte beigegeben, die auch in Deutschland einigermaßen originalgetreu nachzukochen sind. Da die Chinesen eigentlich niemals nur ein Gericht zu einer Mahlzeit zu sich nehmen, beziehen sich die Angaben meist auf kleinere Mengen als sie in Deutschland für ein »Hauptgericht« angegeben würden.

Falls der Leser doch lieber hinfahren und die Shanghaier Küche »vor Ort« entdecken möchte, dann sei die Reisezeit vor dem Pflaumenregen und nach dem Verzehr der Mondkuchen empfohlen, also im Frühjahr und Herbst. Unter Pflaumenregen muss man sich nämlich nicht etwa das Lustwandeln unter herabregnenden Pflaumenblüten vorstellen, sondern den dauerhaften Nieselregen, der die Reifezeit der Essigpflaume am mittleren und unteren Yangzi begleitet und Ende April, Anfang Mai einsetzt. Nicht umsonst gibt es das Wortspiel von meiyu, dem Pflaumenregen, der, gleich ausgesprochen aber anders geschrieben, auch Schimmelregen bedeuten kann. Dieser geht nahtlos über in einen schwül-heißen Sommer, der erst mit dem Mondfest, das am ersten Herbstvollmond im September gefeiert wird, an Wucht verliert. Man begeht es traditionell mit einem Picknick im Freien, bei dem man den Vollmond bewundert, der als der größte des gesamten Jahres gilt. Dabei wird natürlich ausgiebig gegessen, vornehmlich die mit üppigen Füllungen versehenen Mondkuchen, in die zum Teil ein ganzes Eigelb eingebacken wird, das den Mond symbolisieren soll. Besucht man die Stadt während der beiden feucht-kalten Wintermonate Dezember und Januar, sollte man sich warm anziehen, denn Shanghai liegt südlich des Yangzi, also in der Hälfte Chinas, die meint, ohne Heizung auszukommen.

Dieses Buch spricht mit zwei Stimmen: mit der Stimme des chinesischen Autors, der, seit 1987 in den USA lebend, regelmäßig in seine Geburtsstadt zurückkehrt und für den beim Essen Kindheitserlebnisse und Jugenderinnerungen erwachen, und der Stimme seiner deutschen Übersetzerin, die, wenngleich kein Neuling in chinesischer Küche und Kultur, an seiner Seite viel Neues entdecken konnte. Der Leser wird den jeweils Sprechenden unschwer identifizieren können, ein Sprecherwechsel kündigt sich mit dem Schriftzeichen für ›Shanghai‹ an.

Shanghai, im Sommer 2006

Kleiner Sprachkurs zur Orientierung

Wer nach Shanghai kommt, tut gut daran, sich einen Über-
blick über die Himmelsrichtungen und deren chinesische
Bezeichnung zu verschaffen. Das Einprägen dieser wenigen Vokabeln kann bei der Orientierung in der 17-Millio-
nen-Metropole eine beträchtliche Hilfe sein. Interessant
für den Touristen sind vor allem die sogenannte Chinesenstadt, die ehemaligen Konzessionen und der neue Stadtteil
Pudong. Die strukturierende Achse in diesem Bereich ist
der Fluss Huangpu – nicht zu verwechseln mit dem Huang-
he, dem Gelben Fluss in Nordchina. Er teilt die Stadt in ein
westliches und ein östliches Quartier, in eine alte und eine
neue Stadt.
Heutzutage nähert sich der Reisende der »Stadt über dem
Meer« (*shang* = über, *hai* = Meer) nicht mehr auf dem Was-
serweg, sondern in der Regel von Osten, vom neuen Groß-
flughafen Pudong. Er befindet sich damit, wie der Name
sagt, »östlich des Flusses«, denn *dong* heißt Osten.
Von dort legt er die gut 30 Kilometer in die Stadt entweder

mit dem Transrapid »made in Germany« zurück, der ihn allerdings nicht ganz bis ins Zentrum bringt und weiteres Umsteigen nötig macht, oder er nimmt gleich ein Taxi, das ihn über eine der spektakulären Brücken oder durch den Tunnel aufs andere Flussufer, nach Puxi in den Stadtteil »westlich des Flusses« bringt. Merke: *xi* heißt Westen.

Nun ist er im alten Shanghai, dem eigentlichen Stadtkern, von dem aus man 1990 noch auf die Felder am östlichen Flussufer nach Pudong blickte. Erst im Zuge von Deng Xiaopings Öffnungspolitik, in der das dortige Bauernland zur Sonderwirtschaftszone erklärt wurde, und nach der legendären »Südreise« des Reformers, wuchs am Ostufer ein futuristischer Hochhauswald in die Höhe, jenes Geschäfts- und Wohnviertel, das die Shanghaier heute stolz ihr »Fenster zur Welt« nennen.

Auch bei der Orientierung in Shanghais oft kilometerlangen Straßen erweist sich die Kenntnis der Himmelsrichtungen als nützlich. So unterteilt sich zum Beispiel die wichtigste Einkaufsstraße und touristische Ost-West-Achse, die Nanjing Lu (*lu* = Straße), in eine *donglu*, also das dem Fluss zugewandte Ostende, und eine *xilu* oder Weststraße, die vom Fluss weg zum Jing'an-Tempel führt. Den Umschaltpunkt bildet der Volksplatz, ehemalige Rennbahn und heute mit seinen Museen und spektakulären öffentlichen Gebäuden das Herz der Stadt.

Noch längere Straßen, wie etwa die Yan'an Lu, fügen dazwischen noch einen mittleren Abschnitt ein, der *zhonglu* heißt, nach *zhong* für Mitte, das wir aus der Verbindung *zhongguo*, dem »Reich der Mitte«, kennen.

Nach demselben Prinzip unterteilen sich die nord-südlich verlaufenden Straßen in eine *beilu* (*bei* = Norden) und eine *nanlu* (*nan* = Süden).

Mit dieser kleinen sprachlich-geografischen Orientierung sind Sie gut gerüstet, um sich im wohlstrukturierten Shanghaier Großstadtdschungel zurechtzufinden.

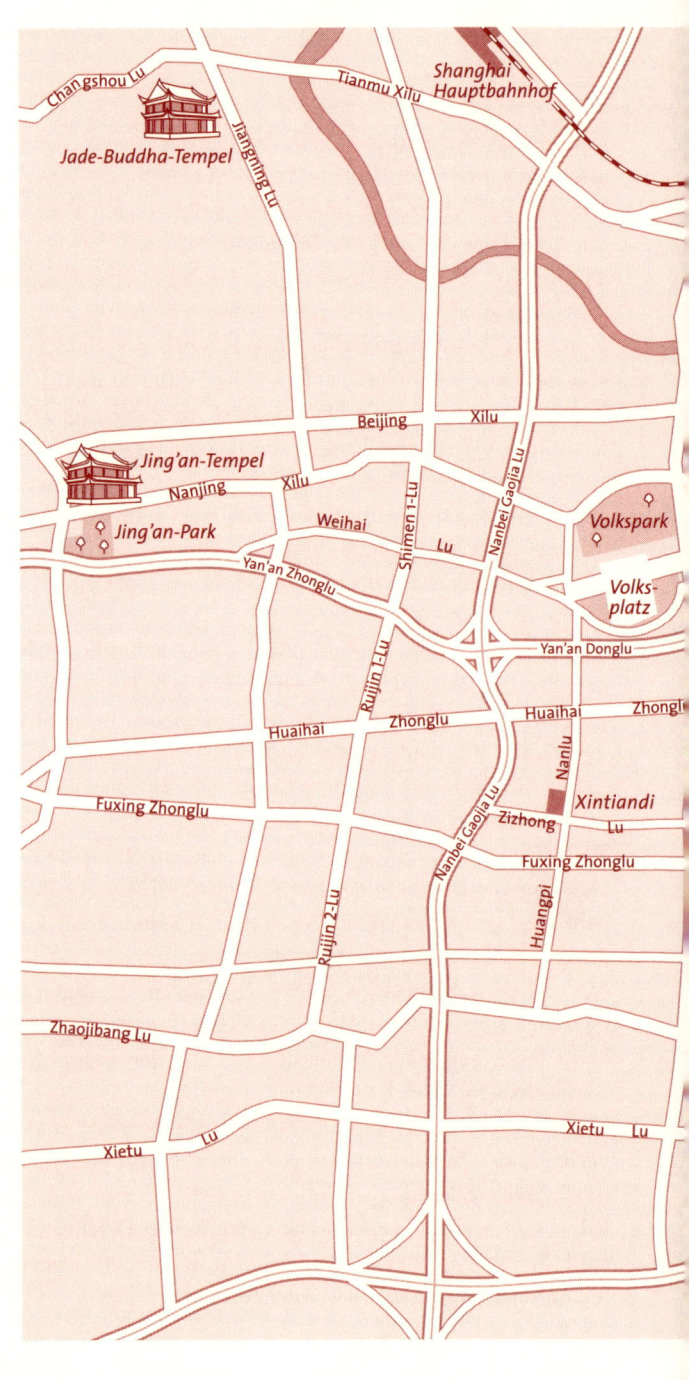

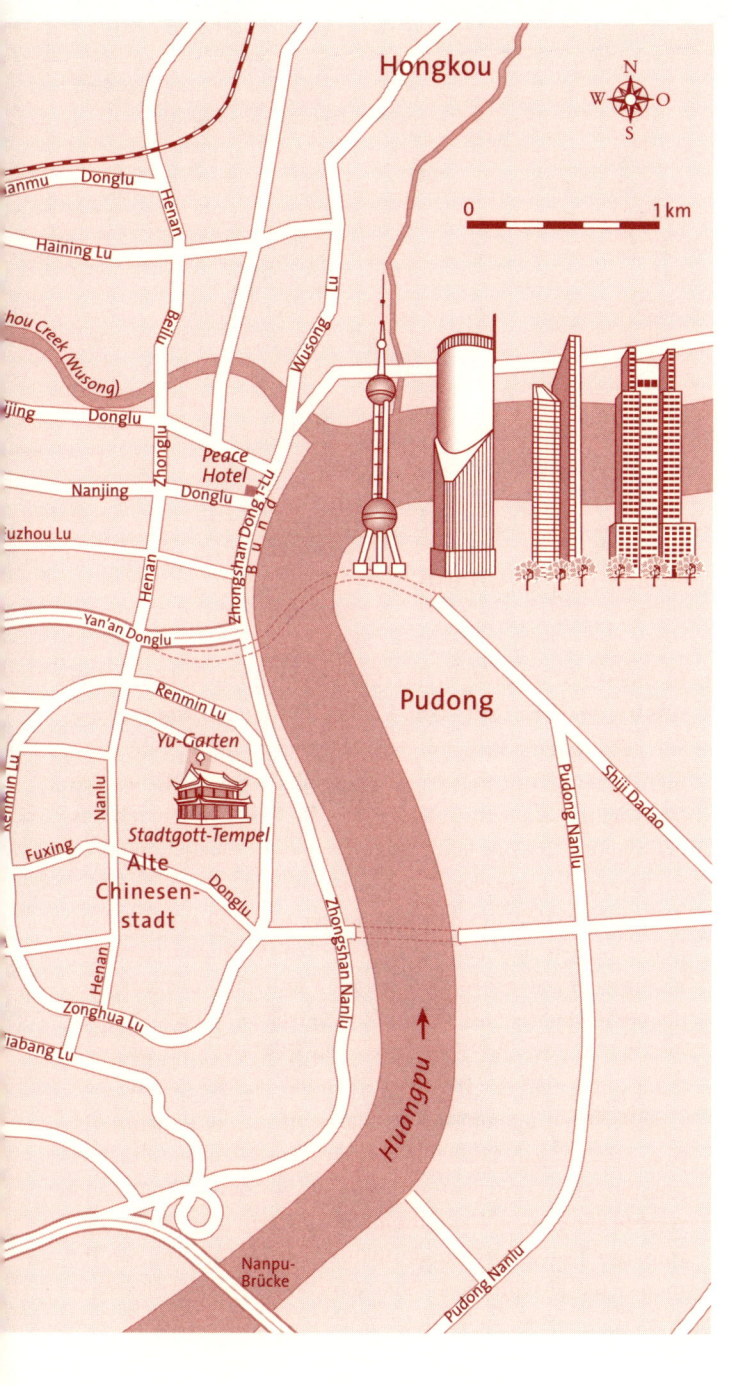

Shanghai-Frühstück

In meiner Kindheit bestand unser Frühstück zu Hause aus wässrigem Reis; Reste vom Vortag wurden in heißem Wasser aufgewärmt und mit eingelegtem Gemüse oder fermentiertem Tofu gegessen. Diese Beilagen kaufte meine Mutter im Lebensmittelladen um die Ecke, so wie ich das noch heute, dreißig Jahre später, in einem Asienshop unserer US-amerikanischen Nachbarschaft tue.

»Wässriger Reis am Morgen ist bekömmlich für den Magen«, pflegte sie zu sagen. Wie bei Millionen anderer Shanghaier hatte ihre Vorliebe für wässrigen Reis, das entdeckte ich später, vor allem ökonomische Gründe. Damals besaßen nur wenige Familien einen Kühlschrank, weshalb das Aufwärmen der Reisreste am anderen Morgen die einzige Verwertungsmöglichkeit darstellte. Außerdem musste man sparen. Ein Glas mit eingelegtem Gemüse oder fermentiertem Tofu kostete weniger als einen Yuan und reichte der ganzen Familie eine Woche und länger. »Zu Beginn des Tages«, so ermahnte uns Mutter lächelnd, »sollte man sich nicht mit fetten oder schweren Speisen belasten.«

Damals waren mir diese Zusammenhänge allerdings noch nicht klar, und ich nörgelte ständig an unserem eintönigen Frühstück herum. Manchmal erlaubte Mutter mir dann, außer Haus zu frühstücken. Als ich später frühmorgens im Park Englisch lernte, wurde das zur regelmäßigen Praxis. In Shanghai gibt es eigentlich keine speziellen Frühstücksrestaurants, wohl aber eine Fülle von Imbissständen und kleinen Lokalen, die Nudeln, gefüllte Teigtäschchen *xiaolongbao*, Lauchpfannkuchen und andere Snacks anbieten. Da ist zum Beispiel der »Pavillon des langen Lebens« (»Chang Lang Ting«), bekannt für seine in einem Öl gebratenen Nudeln, das zuvor mit Frühlingszwiebeln aromatisiert wurde, der »Vier-Jahreszeiten-Frühling« (»Si Shi Chun«), dessen Spezialität Teigtäschchen gefüllt mit Hirtentäschel und Schweinehack ist; ganz zu schweigen von dem üppigen Angebot rund um den Stadtgott-Tempel. Man nennt diese ganztägig angebotenen Snacks *dianxin*, einen Imbiss, »der das Herz erfreut«.

Dem wässrigen Reis meiner Mutter entkommen, stellte ich mir mein Frühstück an solchen Ständen in der Nachbarschaft zusammen. Bereits für ein paar Fen, weniger als zehn Cent, eröffneten sich erstaunliche Kombinationsmöglichkeiten: eine fritierte Teigstange und zwei gebackene Küchlein, eine Teigstange in gedämpftem Reisball, vier gedämpfte *longbao* mit Schweinefleisch, zwei gebratene Reiskuchen und eine Schale Suppe mit Sojasprossen, getrockneten Shrimps und Seetang, dazu für ein paar weitere Fen süße, warme Sojamilch. An kalten Tagen entschied ich mich für eine Schale Rindfleischnudeln – in meiner Preisklasse allerdings ohne Rindfleisch. Dafür war die Fleischbrühe kräftig, heiß und scharf, gewürzt mit Curry, Chilischoten und grünen Frühlingszwiebeln.

Außerdem stellte ein solches Frühstück eine Zeitersparnis dar. Weil die Garküchen keine Sitzplätze haben, isst man im Gehen auf der Straße. Einziger Nachteil sind die fettigen, klebrigen Finger, die man davon zurückbehält. In jenen Tagen knapste ich mir von meinem Frühstücksetat auch noch das Geld für Englischbücher ab, die es in der nahe gelegenen Fuzhou Lu im Foreign Language Bookstore zu kaufen gab, damit ging ich in den Bund-Park, wo ich, als die Schulen während der Kulturrevolution geschlossen blieben, ungestört lernen konnte.

Getreidebrei (*zhou*) ist ein tragender Bestandteil der chinesischen Küche. Je nach Region und Zweck wird er aus Reis, Klebreis, Hirse, Sorghum, Mais(-grieß) oder Gerste gekocht und als Frühstück, Beilage zu anderen Speisen oder auch, vor allem im Süden, als Imbiss verzehrt. Die Palette reicht von süßem, salzigem und neutralem Brei bis zur spezifischen Heilanwendung. Der bekannte Song-Dichter Lu You (1125–1210) verrät uns in einem Gedicht sein Rezept für ein langes Leben. Für dessen Wirksamkeit lieferte er selbst den besten Beweis.

> Jeder strebt nach langem Leben,
> dabei ist ihm das Mittel selbst in die Hand gegeben.
> Ich habe dafür einen einfachen Rat:
> Iss täglich Brei, diese himmlische Wohltat.

Aus der Sicht der Traditionellen Chinesischen Medizin harmonisiert Reisbrei den Magen, stärkt die Milz, benetzt und nährt die Lunge. Wässriger Reis am Morgen ist also doch nicht bloß Sparprogramm.

Zhou
Getreidebrei (Grundrezept)

Kochen Sie einen wässrigen Brei, indem Sie Wasser zum Kochen bringen und dann erst das Getreide Ihrer Wahl zugeben. Vorsicht: Nicht zu viel Getreide nehmen; die Konsistenz
des Breis ist natürlich Geschmackssache, ein Verhältnis 10:1
könnte aber ein Anhaltspunkt sein. Harte Getreidesorten wie
Reis oder Hirse können vorher auch eingeweicht werden. Bei
mäßiger Hitze und unter gelegentlichem Rühren langsam weiterkochen, bis das Getreide weich ist. Das kann ohne Weiteres eine halbe Stunde und länger dauern.
Verfeinert wird der *zhou* durch die Zutaten, die man mitkocht.
Hier eine süße und eine salzige Variante:

Hetao Zhou
Süßer Walnussbrei

100 g Reis
20 g Walnusskerne, gehackt
Zucker nach Belieben

Den Reis mit den Walnüssen zu einem wässrigen Brei kochen
und erst vor dem Servieren zuckern.

Congyou Zhou
Reisbrei mit Frühlingszwiebeln und Sesamöl

Grundrezept wie oben. Außerdem in einer Pfanne Frühlings-
zwiebelstreifen (pro Schale fertigen Reisbreis 1 Stange) in etwas Öl anbraten, bis sie duften. Vor dem Servieren mit einigen
Tropfen Sesamöl beträufeln und auf den heißen Reisbrei in der
Schale geben.

Heutzutage, wo der Zeitfaktor zunehmend wichtig wird,
nehmen noch immer viele Shanghaier ihr Frühstück auf
dem Weg zur Arbeit an der Straße ein. Auch das Angebot
hat sich kaum verändert, selbst wenn viele der alten Garküchen zunächst den Baustellen und später modernen Ge-
schäftshäusern weichen mussten. Es lohnt sich, einmal
früh aufzustehen und sich im Strom der zielstrebigen Angestellten durch die Gassen westlich des Volksplatzes treiben zu lassen. Kaum jemand, der unterwegs nicht kaut, an
einem Trinkhalm nuckelt oder eine Plastiktüte mit frischen Frühstückssnacks mit ins Büro nimmt.
Seit der SARS-Epidemie wird auch hier verstärkt auf Hy-
giene geachtet. Die alte Frau, die auf einem Schemel am
Straßenrand Sojamilch in verschweißten Plastiktütchen
verkauft und diese in einem Wasserbehälter warm hält,
schneidet, bevor sie mir das Tütchen reicht, die Ecke des
Plastikbeutels mit einer Schere ab. Die Hand, mit der sie
den Trinkhalm in die Öffnung schiebt, steckt in einem
Plastikhandschuh. An allen Ständen und Garküchen
kommen mittlerweile Styroporbehälter und Einwegstäb-
chen zum Einsatz. Nur den klassischen Lauchpfannkuchen bekommt man, zu einem appetitlichen Dreieck ge-

faltet, direkt von der Platte in einem Stück Papier auf die Hand.

Doch aufstrebende junge Angestellte, in Shanghai auch »Weißkragen« genannt, verlangen in ihrem ganz und gar unsozialistischen Statusbewusstsein noch mehr an Komfort und Sauberkeit. Dafür bezahlen sie auch gern etwas mehr. Für solche Bedürfnisse gibt es eine taiwanische Restaurantkette namens »Yonghe« (benannt nach dem Stammgeschäft im gleichnamigen Taipeier Stadtteil), die sich aufs klassische Frühstücksangebot spezialisiert hat. Hier isst man im Sitzen, wird am Tisch bedient, und der gedämpfte Reisball oder die fettige Teigstange werden in Plastikverpackung serviert, sodass man nicht Gefahr läuft, die Krawatte zu bekleckern oder mit Fettfingern im Büro zu erscheinen.

Eine ganz andere Klientel frühstückt im »Alten Halbplatz« (»Lao Ban Zhai«), einem Traditionslokal, das Qiu Xiaolong in seinen Krimis literarisch geadelt hat. Während wichtige Besprechungen zwischen Hauptwachtmeister Yu und seinem Chef, Oberinspektor Chen, im ruhigen ersten Stock stattfinden, führt der Autor seine Familie ins authentischere und allmorgendlich belebte Erdgeschoss zum Frühstück aus. Folgende Episode, die Sie leicht verändert in »Schwarz auf Rot« nachlesen können, zeigt, wie sich bei ihm praktischer Essgenuss zu Literatur verdichtet.*

Bei den rasanten Veränderungen, die die Reformen für China gebracht haben, muss ich für meine Romane genau recherchieren, besonders was die Gastronomie betrifft. Vor meinen regelmäßigen Reisen nach Shanghai versuche

---

* Nachzulesen in Qiu Xiaolong: Schwarz auf Rot. Oberinspektor Chens dritter Fall. Wien 2005, S. 215ff.

ich daher, meine Hausaufgaben zu machen. So fiel mir ein Artikel in die Hände, in dem es um das *xiao*-Schweinefleisch in einem Nudelrestaurant namens »Alter Halbplatz« ging. Das Lokal war mir bekannt, mein Vater hatte mich ein paar Mal dorthin mitgenommen, kein schickes Restaurant, aber schon damals bekannt für seine frischen Nudeln mit unterschiedlichen Beilagen. Aus dem Artikel erfuhr ich, dass es sich zu einem Treffpunkt für Rentner, Gourmets mit schmalen Brieftaschen, entwickelt hatte, denn dieses staatlich geführte Haus hat sich seinen traditionellen Geschmack und die gute Qualität ebenso erhalten wie seine moderaten Preise. Die älteren Herrschaften warten am Morgen schon, bis sich die Türen öffnen, manche sollen sogar ihre eigenen Gewürze wie Pfeffer oder fein gehackte Frühlingszwiebeln dabeihaben, die das Restaurant wegen seiner geringen Gewinnspanne nicht extra anbietet. In Zeiten des »ostentativen Konsums« ist so etwas selten, und mein Interesse war geweckt.

Daher lud ich meine Frau Lijun und Tochter Julia bei unserem nächsten Besuch dorthin zum Frühstück ein. Obwohl wir dank des Jetlag früh dran waren, saßen bereits viele ältere Gäste an den Tischen und warteten mit gezückten Essstäbchen auf ihre Nudeln. Die über der Kasse angebrachte Tafel verzeichnete eine eindrucksvolle Zahl verschiedener Nudelvarianten und Beilagen. Mir blieb kaum Zeit, sie zu studieren, da hinter mir bereits die Stammkunden drängelten, die das Angebot auswendig kannten.

Ich bestellte Nudeln mit eingelegtem Kohl und Winterbambus, dazu eine Portion *xiao*-Schweinefleisch (dem deutschen Surfleisch vergleichbar) – ein Muss in diesem Restaurant. Meine Frau wählte Nudeln mit gebratenem Reisfeldaal und Krabben und ebenfalls das *xiao*-Schweinefleisch. Julia entschied sich für Nudeln mit geräuchertem Karpfenkopf und Cola. Wir mussten etwa zehn Minuten warten, bis die Bedienung uns zu einem großen, mit Öl und Suppe bekleckerten Tisch führte, den wir mit mehreren anderen Gästen teilten. Der Speisesaal im Parterre war riesig, und die nicht mehr ganz jungen Bedienungen kämpften sich mit hoch beladenen Tabletts durch die Tischreihen. Ihnen blieb einfach keine Zeit, um auch noch regelmäßig Tische abzuwischen, die sich, kaum dass jemand gegangen war, sofort mit neuen Gästen füllten. Bei solcher Nachfrage, stellte ich erleichtert fest, würde das Restaurant seine moderaten Preise halten können.

»Warum so früh?«, nörgelte Julia und rieb sich schlaftrunken die Augen.

»Der Koch hier bereitet die Nudeln in einem besonders großen Topf zu, dadurch bekommen sie ihren Biss. Aber das Wasser reichert sich allmählich mit der Stärke der Nudeln an und wird zähflüssig. Dann verlieren die Nudeln ihre Konsistenz. Es ist schwer, in einem so großen Topf das Wasser zu wechseln. Stattdessen schüttet der Koch einfach kaltes hinzu, aber das ist auch nicht ideal. Feinschmecker sind überzeugt, dass die Nudeln aus der ersten Topffüllung die besten sind. Die schmecken den Unterschied.«

»Du meine Güte, so viel Aufhebens um ein paar Nudeln«, kommentierte Lijun.

Schließlich kam unser Essen. Ich tauchte eine Scheibe Schweinefleisch in die Brühe, wie ich es in dem Artikel gelesen hatte, und ließ es einige Minuten ziehen. In der warmen Suppe wurde das Fett der dünn geschnittenen Scheibe nahezu durchsichtig, und das Fleisch zerging auf der Zunge. Die Nudeln hatten einen herzhaften Biss und den unvergleichlichen Geschmack der Suppe angenommen.

Um meine Tochter zu beeindrucken, analysierte ich die Zutaten dieser speziellen Brühe, konnte mich aber nur noch an den Namen der winzigen getrockneten Fischlein erinnern, die in einem Gazesäckchen die Brühe aromatisieren. Das schien sie zu interessieren, und ich überlegte gerade, ob ich ihr ebenfalls eine Portion Schweinefleisch bestellen sollte, als sich ein alter Mann am Nebentisch niederließ, der ihre Aufmerksamkeit fesselte.

Der Neuankömmling trug einen langen, wattierten Mantel und eine passende Mütze mit Ohrenklappen, die sein Gesicht fast ganz verbarg. Er rieb sich die von morgendlicher Kälte steifen Hände und blies genüsslich in die Schale einfacher Nudeln, die er bestellt hatte.

»Schau mal«, flüsterte Julia, »der hat sich das Schweinefleisch aus seiner Manteltasche geholt.« Tatsächlich. Der Alte hatte in Plastik gewickelte Schweinefleischstreifen neben sich liegen. Er tauchte sie mit den Stäbchen in die Suppe und wartete auf den berühmten Einweicheffekt.

»Ist dieses Fleisch denn so was Besonderes«, fragte sie amüsiert, diesmal auf Englisch. Das konnte ich ihr auch nicht beantworten. Wenn das aber die Spezialität des Hauses war und nur hier angeboten wurde, wieso brachte der alte Mann sich dann sein Fleisch von zu Hause mit? Inzwischen hatte der Herr am Nebentisch bemerkt, dass wir über ihn sprachen, wischte sich den Mund mit dem Handrücken und wandte sich uns zu. Er hatte seine Schale bereits geleert.

»Du wunderst dich vielleicht, warum ich mein Fleisch mitgebracht habe«, bemerkte er, als könne er Gedanken lesen. »Das ist ein Trick, den nur die alten Feinschmecker kennen«, erklärte er meiner Tochter grinsend.

»Und wie geht der?«, erkundigte sich Julia neugierig.

»Nach dem Mittagsgeschäft verkauft das Restaurant *xiao*-Schweinefleisch für 50 Yuan das Kilo. Das klingt teuer, ist es aber nicht. Wenn man das Fleisch zu Hause dünn schneidet, bringt man aus einem Kilo 75 bis 80 Portionen heraus. Wie viel habt ihr für so ein Tellerchen bezahlt? Zwei Yuan. Also kaufe ich mir ein halbes Kilo, lege es in meinen Kühlschrank – den muss man natürlich haben – und bringe mir täglich ein paar Scheiben davon mit.«

»Das ist aber clever«, bemerkte Julia.

»Tja, ein alter Gourmet wird alles tun, um seinen Magen zu verwöhnen. Ich bin zu alt für das, was man heutzutage ostentativen Konsum nennt. Für meinen Gaumen ist das kein Unterschied. Der ›Alte Halbplatz‹ ist ein gutes Restaurant«, sagte er und erhob sich. »Ich hoffe, dir hat es auch geschmeckt.«

»Ja, war echt lecker«, bestätigte Julia.

Vermutlich hat Julia an diesem Morgen ihre Leidenschaft für chinesische Nudeln entdeckt. Ich hätte ihr wirklich eine eigene Portion *xiao*-Schweinefleisch bestellen sollen, habe es aber schlichtweg vergessen.

→ Lao Ban Zhai, No. 600 Fuzhou Lu.

Congyou Roushi
**Nudeln mit Frühlingszwiebeln
und Schweinefleischstreifen**

Für 1 Person:
1 Nest chinesische Weizennudeln
1 Frühlingszwiebel
Öl
50 g Schweinefleisch
Salz
Sojasoße

Wer es zum Frühstück herzhaft mag, koche sich Nudeln aus dem Asienladen. Nicht die durchsichtigen Glasnudeln aus Reismehl, sondern ganz normale Weizennudeln, die meist in sogenannten Nestern angeboten werden.

Shanghai-Frühstück
Congyou Roushi

Die Frühlingszwiebel putzen, waschen und in etwa 3 cm lange Streifen schneiden. In reichlich Öl anbraten. Xiaolong besteht bei diesem Rezept darauf, dass sie »halb verbrannt« sein müssen, damit das Öl gut aromatisiert wird. Herausnehmen, beiseitestellen und im gleichen Öl das zuvor in feine Streifen geschnittene Schweinefleisch anbraten. Frühlingszwiebeln wieder dazugeben und mit den Fleischstreifen mischen. Mit Salz und Sojasoße abschmecken und auf die heißen Nudeln geben.

Im Reich des Stadtgotts

Den Rang des Shanghaier Stadtgotts machen sich zwei um die Stadt verdiente Sterbliche streitig: der offiziell zum Stadtgott erhobene unbestechliche Beamte Qing Yubo aus dem 14. und General Huo Guang aus dem ersten vorchristlichen Jahrhundert, dessen Geist den Shanghaiern einst im Kampf gegen Piraten beistand. Beide Männer wurden durch kaiserliches Dekret in das daoistische Götterpantheon aufgenommen, was ihnen einen Platz in diesem buntesten und umtriebigsten Tempel der Stadt sicherte, der heute – schon wegen seiner ausufernden Verkaufsstände und Fressbuden – ein touristisches Muss ist.

Bereits der Name *Chenghuang Miao* (Stadt-Befestigungsgraben-Tempel) weist auf seine Lage inmitten der sogenannten Chinesenstadt hin, die den alten Stadtkern bildete und von einer Ringmauer samt Graben umgeben war.

Diese Befestigungsanlage ist bis auf winzige Reste, die in einem kleinen Museum zu bestaunen sind (No. 269 Dajing Lu, täglich 9 bis 16.30 Uhr), dem Bauboom zum Opfer gefallen. Heute zeichnet nur noch die ringförmige Renmin Lu ihren einstmaligen Verlauf nach. Diese Ringstraße bildete auch die Grenze zur ehemals Französischen beziehungsweise Internationalen Konzession, die seit der Mitte des 19. Jahrhunderts mit jeweils eigener Gerichtsbarkeit und Polizeitruppe für die Shanghaier gewissermaßen Ausland darstellten.

Die Tempelanlage mit ihren umbauten Höfen geht auf das 15. Jahrhundert zurück, wurde jedoch immer wieder angebaut und erweitert und, nachdem sie während der Kulturrevolution als Lagerhalle gedient hatte, 1980 runderneuert. Grellbunt und frisch gestrichen wirken heute die Heiligenfiguren und Götterbilder, und in glänzender Goldbronze strahlt dem Besucher vom schwarz lackierten Eingangstor der Zweizeiler entgegen: »Sei ehrlich, damit du ruhig schlafen kannst. / Tue Gutes, und die Götter werden davon erfahren.«

Dagegen ist nichts zu sagen. Allerdings geht es eher profan zu in und um die heiligen Hallen, und wer in Shanghai sagt, er gehe zum Stadtgott-Tempel, der meint im Grunde den ihn umgebenden Markt. Dieser geht vermutlich auf einen ehemals temporären Markt zur Geburtstagsfeier des Stadtgottes zurück, doch inzwischen ist daraus Shanghais traditionelle »Fressstraße« mit ihrem unerschöpflichen Angebot lokaler Spezialitäten geworden. Nur einige wenige Läden in unmittelbarer Nähe des Tempels bieten tatsächlich Räucherstäbchen, Totengeld und andere Devotionalien an. Ziel der Touristenströme sind die unzähligen kleinen Restaurants, Souvenir- und Imbissstände.

Wohin heute alle Touristen pilgern und wohin Oberinspektor Chen seine amerikanische Kollegin Catherine

Rohn zwecks Lokalkolorit ausführt, das ist für den Autor Qiu Xiaolong ein Ort für bittersüße Jugenderinnerungen:

An einem Morgen in den frühen 70ern begaben sich drei Gymnasiasten zum Alten Stadtgott-Tempel – Jiang, Tang und ich.

Schon Tage zuvor hatten wir alles genau geplant: Indem wir unser Taschengeld zusammenlegten, würden wir im Verlauf eines Tages alle dort angebotenen Spezialitäten probieren. In den Jahren der Kulturrevolution gab es praktisch keinen Unterricht; wir hatten alle Zeit der Welt, aber kaum Geld. Wir nannten unser Unternehmen eine »Säuberungsaktion«, nach dem Vorbild japanischer Soldaten, die in den Kriegsfilmen ein chinesisches Dorf nach dem anderen heimsuchten. Wir wollten dasselbe mit den Ständen um den Stadtgott-Tempel tun. Unsere Taktik bestand darin, die Beute zu teilen, jeder bekam von allem nur einen Bissen.

So zogen wir von einem Stand, von einem kleinen Lokal zum nächsten. Wegen unserer begrenzten Mittel wurde jede Portion in drei Teile geteilt: eine Schale gebratene Nudeln *liangmianhuang*, einen Teller mit gebratenen, fleischgefüllten Teigtaschen *guotie*, ein Täfelchen süße Osmanthuskuchen *guihua lagao*, eine Portion fritierte Sesambällchen *maqiu*, ein Körbchen mit gedämpften Krabbenklößchen *xiefen xiaolong*.

Nach zwei Stunden hatten wir gerade mal die Hälfte des Marktes geschafft und bereits kein Geld mehr. Angesichts unserer letzten fünf Mao hatte Jiang eine Idee.

»Dafür kriegen wir an keinem der Stände was, aber für ein Birnenmark könnte es reichen.«

Die kleinen Täfelchen aus getrocknetem Birnenmark sind ebenfalls eine Spezialität des Marktes, sie lindern Husten und Halsschmerzen. Also kauften wir uns ein Stück von der Größe einer Scheckkarte, das wir vor den Augen der kichernden Verkäuferin in drei Teile brachen.

»Dieses Stück ist wohl immer noch zu groß für euch«, kommentierte sie.

Tang, der schlagfertigste von uns dreien, legte ein paar Krümel in das Papier zurück und reichte es ihr. »Stimmt, allein schaffen wir das nicht. Hier, Ihr Trinkgeld.«

Lachend traten wir in die Nachmittagssonne hinaus.

Ich erinnere mich daran noch so genau, weil es eine der wenigen glücklichen Begebenheiten unserer Oberschuljahre war. Bald darauf wurden wir alle zu »gebildeten Jugendlichen«, die man aufs Land schickte, damit sie von den »armen und unteren Mittelbauern« umerzogen wurden. Das war eine von Mao im Rahmen der Kulturrevolution initiierte Kampagne. Jiang musste nach Guizhou, Tang kam nach Anhui. In dieser bettelarmen Provinz erkrankte Tang an Tuberkulose und beging schließlich Selbstmord. Es hieß, er habe sich nachts in einen ausgetrockneten Brunnen gestürzt. Seine Leiche, den Mund voll trockener Pflanzenreste und Erde, wurde erst Wochen später gefunden. Er ist dort unten elendiglich verhungert.

Dim Sum –
Bekenntnisse eines dichtenden Gourmets

Dim Sum – die delikaten Appetithappen stammen ursprünglich aus Guangdong, der südlichsten Provinz mit der
Hauptstadt Guangzhou oder Kanton. Dort spricht man das
hochchinesische *dianxin* für Imbiss *dimsum* aus. Was zunächst als Amuse-Gueule zu Tee gereicht wurde, entwickelte sich mit der Zeit zu einer Esskultur eigener Art, die
mittlerweile in speziellen Restaurants gepflegt wird und in
ganz China anzutreffen ist. In riesigen Speisesälen ziehen
Bedienungen mit Servierwagen ihre Runden, auf denen sie
mehrere Snacks einer Preisklasse – meist in appetitlichen
Bambusdämpfern – anbieten. Der Gast begutachtet, lässt
sich verführen, wählt und bekommt daraufhin einen entsprechenden Stempel auf seine Bestellkarte, nach der später
an der Kasse abgerechnet wird. Da das Dim Sum zwar sehr
üppig sein kann, aber aus chinesischer Sicht keine vollwer-
tige Mahlzeit darstellt, wird es traditionellerweise nur vom
späten Vormittag bis etwa fünf Uhr nachmittags angeboten.

上海

Meine ersten Dim Sum habe ich in Kanton gegessen, in Gesellschaft eines Geschäftsmannes namens Ouyang. Das war drei Wochen vor Weihnachten 1987, und ich steckte in Schwierigkeiten.

Ich war damals auf dem Weg zu einer internationalen Literaturkonferenz in Hongkong. Es war eine spontane Entscheidung gewesen, ausgelöst durch den Anruf eines Hongkonger Freundes, der eine »unglaublich gute Geschäftsidee« mit mir besprechen wollte. Eigentlich ging es mir ganz gut mit meiner Stelle am Shanghaier Literaturinstitut, doch seit Kurzem zirkulierte der Slogan »am ärmsten die Professoren, am dümmsten die Doktoren«. Damals begann man in China, gemäß einem anderen Slogan, »nach vorne zu schauen«. Doch veränderte man nur ein paar Töne in der Aussprache, so wurde daraus »aufs Geld schauen«, was der allgemeinen Blickrichtung viel mehr entsprach.

Ich musste zuerst nach Kanton, um dort auf mein Hongkonger Visum zu warten, das mir von der Xinhua Nachrichtenagentur erteilt werden sollte. Mit etwas Glück würde es rechtzeitig bewilligt werden, und ich bräuchte nur noch die Grenze zu überqueren, um gerade noch pünktlich zur Konferenz in Hongkong einzutreffen. Doch nicht nur die Zeit war knapp, sondern auch mein Reisegeld. Was mir das Institut bewilligt hatte, deckte kaum die Kosten für eine sternlose Unterkunft in Kanton. Also fragte ich in der Herberge des Kantoner Schriftstellerverbands an, einer billigen Pension für mittellose Autoren, die dort für 20 Yuan pro Nacht in Mehrbettzimmern untergebracht wurden. Doch selbst diese Ausgabe strapazierte meine Reisekasse, ich würde haushalten müssen.

Man wies mir ein ruhiges Zimmer mit mehreren schmalen Betten und einem von Brandlöchern gezeichneten Schreibtisch zu – Überreste der harten Arbeit eines Kollegen. Ich hoffte, das Zimmer für mich allein zu haben, doch nach zwanzig Minuten klopfte es an der Tür. Ein großer, schlanker Mann Anfang vierzig trat ein. Er trug einen teuren grauen Anzug und hatte außer einer nagelneuen Lederaktentasche kein Gepäck bei sich.

»Hi. Ich störe Sie hoffentlich nicht beim Schreiben.«

»Nein, keineswegs«, antwortete ich. »Wohnen Sie auch hier in der Pension?«

»Ja, in ebendiesem Zimmer. Mein Name ist Ouyang.«

»Erfreut, Sie zu treffen«, erwiderte ich und reichte dem unvermeidlichen Zimmergenossen meine Karte.

»Dann sind Sie also Dichter – oh – und auch noch Mitglied des Schriftstellerverbandes.« Er streckte mir die Hand hin. »Freut mich, einen Dichter kennenzulernen.«

»Und Sie schreiben Romane?«

»Nein, das nicht – äh – eigentlich bin ich Geschäftsmann.« Er fischte eine Visitenkarte aus seiner Jacketttasche, auf der eine Reihe von Firmennamen verzeichnet war. »Immer wenn ich in Kanton bin, wohne ich hier, anstatt in einem dieser Fünf-Sterne-Hotels abzusteigen. Und wissen Sie warum? Das erzähle ich Ihnen am besten bei einer Tasse Tee. Wie wär's mit dem ›Fünf Phönixe‹? Ein ausgezeichnetes Dim-Sum-Lokal ganz in der Nähe.«

Ouyang ließ sich nicht abbringen, und ich hatte meine letzte Mahlzeit, eine Schale Instant-Nudeln, vor vielen Stunden im Zug eingenommen. Also folgte ich ihm zu dem Restaurant, wo köstliche Snacks und vielversprechende Bambusdämpfer durch den Speisesaal geschoben wurden.

»Gedämpfte Rippchen mit Sojabohnensoße, Hühnchen in Klebreis, gedämpfte Innereien vom Rind, kleine Teigtäschchen mit Schweinehack, Krabbentäschchen und eine Kanne Chrysanthementee mit Zucker«, sprudelte Ouyang der Bedienung entgegen, ohne einen Blick auf die Karte zu werfen. Dann wandte er sich grinsend an mich: »Das sind meine Favoriten, Sie wählen am besten selbst.«

»Wird das nicht zu viel?«, entgegnete ich. »Es ist doch erst Vormittag.«

»Das ist doch keine volle Mahlzeit, bloß ein paar Häppchen zum Tee«, erklärte Ouyang. »Das zumindest war die ursprüngliche Idee. Daraus hat sich dann eine ungeheure Vielfalt kleiner Leckereien entwickelt.«

Der Saal brummte vor Leuten, die redeten, Tee tranken, Geschäfte besprachen und dazu Kleinigkeiten verzehrten.

Ouyang begann zwischen Kauen und Teeschlürfen mit seiner Lebensgeschichte. Er hatte in den 60ern die Oberschule besucht und sich eine Zukunft als Dichter erträumt, doch die Kulturrevolution zerstörte seine Träume. Als »gebildeter Jugendlicher« wurde auch er aufs Land verschickt. Nach zehn vergeudeten Jahren kehrte er nach Kanton zurück und schaffte die wieder eingeführte Universitätsaufnahmeprüfung nicht. Dennoch gelang es ihm, eine kleine Privatfirma in Shekou, dreißig Kilometer südlich von Kanton, aufzubauen. Als erfolgreicher Unternehmer war er entschlossen, zunächst Geld zu verdienen, um schließlich seinen literarischen Traum verwirklichen zu können. Sein Besuch in Kanton galt diesmal nicht dem Geschäft, sondern einem vom Schriftstellerverband ausgerichteten Creative-Writing-Seminar.

»Mein Besuch in der Schriftstellerherberge hat sich schon jetzt gelohnt«, sagte Ouyang zu mir. »Ich habe einen Dichter kennengelernt, der an einer internationalen Literaturkonferenz teilnimmt.«

Nicht wirklich, überlegte ich im Stillen, während ich an den eigentlichen Grund meiner Reise dachte. An einem Krabbentäschchen kauend, zitierte ich Zeilen von Wei Zhuang: »Das Mädchen mit dem Weinkrug gleicht dem Mond, ihre nackten Arme weiß wie frisch gefallener Reif . . .« Anlass war eine junge Bedienung, die mehrere Teller auf den nackten Armen balancierte. Ouyang hörte hingerissen zu und nickte beifällig über seinem Bambusdämpfer.

Als ich am Ende der Mahlzeit Anstalten machte zu bezahlen – zumindest meinen Anteil –, hinderte er mich, indem
er leidenschaftlich erklärte: »Ich habe nicht schlecht ver-
dient. Na und? In zwanzig oder dreißig Jahren ist diese
Rechnung ein eselsohriges Blatt Papier, das niemandem etwas bedeutet. Wie hat es unser alter Meister Du ausge-
drückt? ›Nichts als deine Schriften wird die Zeiten über-
dauern.‹ Lassen Sie mich einige Tage Ihr Schüler sein. Und
im Altertum erwartete man von einem Schüler, dass er seinem Lehrer einen ganzen Jinhua-Schinken brachte.«

Ich war noch immer in Geldnöten. Außerdem schmeichelte
mir die Bestätigung als Dichter, der wie einst von seinem
Adlaten verehrt wurde. Und auch was das Dim Sum betraf,
war ich auf den Geschmack gekommen. Wenn ich seiner
Bitte nachgab, würde ich dieses Lokal vielleicht noch öfter
besuchen können. Mir fiel ein weiterer populärer Spruch
jener Tage ein: *Mit Geld kann man nicht alles erreichen, aber
nichts kann man ohne Geld erreichen.* Ouyang war dafür der
lebende Beweis.

Während der nächsten Tage bestand Ouyang darauf, mich
zum Dim Sum auszuführen, und zwar am Morgen und am
Nachmittag. Er wusste, wie sehr ich das schätzte, er seiner-
seits wollte mit mir über Poesie reden. Inmitten all der Teller und Bambusdämpfer erfuhr er schließlich auch von meinem Visum-Problem und aktivierte daraufhin sofort seine
Geschäftspartner in Hongkong.

Um es mit einem Begriff aus der traditionellen chinesischen Wahrsagerei auszudrücken: Ouyang muss mein
guiren – eine Leitfigur in meinem Leben – gewesen sein. Am
Abend meines dritten Tages in Kanton teilte mir Ouyang
mit, dass alles geregelt sei und mein Visum am kommenden
Morgen per Express-Kurier in die Schriftstellerherberge
gebracht werden würde. Gerade noch rechtzeitig für die
Konferenz, die am Nachmittag beginnen sollte.

Ouyang begleitete mich zum Bahnhof. Als die Klingel auf

dem Bahnsteig die unmittelbar bevorstehende Abfahrt des Zuges ankündigte, wusste ich nicht, wie ich ihm danken sollte. Stattdessen ermutigte ich ihn, seine literarischen Bemühungen nicht aufzugeben.

»Vielleicht ist es doch schon zu spät für mich«, sagte er, als der Zug anfuhr. »Ich habe einige Lyrikzeitschriften und VIP-Magazine abonniert und werde das beibehalten. Ich freue mich schon darauf, dort Ihre Gedichte zu lesen – und vielleicht eines Tages auch meine eigenen.«

Dank seiner Hilfe verbrachte ich die Wartezeit in Kanton als geachteter Dichter, zitierte Tang- und Song-Gedichte und entwickelte trotz knapper Kasse eine Leidenschaft für Dim Sum. Außerdem schaffte ich es rechtzeitig zur Konferenz, wenngleich sich die »vielversprechende Geschäftsidee« meines Hongkonger Freundes als wenig praktikabel erwies.

Im Jahr 1987 erhielt ich ein Forschungsstipendium für die Vereinigten Staaten. Wegen der Ereignisse im Sommer 1989 auf dem Platz des Himmlischen Friedens brach der Kontakt zu Ouyang ab. Ich fürchtete, ihn in Schwierigkeiten zu bringen, dachte aber hin und wieder an ihn. Als ich einige Jahre später erneut Verbindung zu ihm aufnehmen wollte, konnte ich ihn nicht mehr ausfindig machen.

Doch nicht alles ist verloren. Vieles ist geschehen in jenen Jahren, ganz so wie es die Gedichtzeilen verhießen, die ich Ouyang seinerzeit beim Dim Sum in Kanton zitierte: »Wenn man jung ist, ahnt man nichts von den Härten des Lebens,« Immerhin habe ich weiter geschrieben. Es war nicht immer leicht, das in einer fremden Sprache zu tun, aber unter anderem war es das Bild jenes Ouyang, wie er mir ein Krabbentäschchen in meine Schale legt, das mich nicht aufgeben ließ. Ich frage mich, ob er je etwas von mir zu lesen bekam. Inzwischen gibt es kaum noch Lyrikzeitschriften, und auch die VIP-Magazine scheinen auszusterben.

Heutzutage gibt es auch in Shanghai Dim-Sum-Restaurants. Die Leute sagen oft, eine der sichtbaren Veränderungen seit den Wirtschaftsreformen sei die Vielzahl neuer Restaurants. Dim Sum hat inzwischen seinen festen Platz in der Stadt und im Bewusstsein ihrer Bewohner. Wann immer ich nach Hause komme, gehören Lokale wie das »Fischerhafen am Südmeer«, das »Nanhai Yucun«, zu meinen festen Programmpunkten. Doch kommen die dortigen Genüsse nicht an jene heran, die ich damals in Kanton gekostet habe.

Shao Mai
Gedämpfte offene Teigtäschchen

Für 30 Stück:
30 vorgefertigte kleine runde Teigfladen (tiefgefroren, aus dem Asienladen)
500 g sehr feines Schweinehack
2 EL Sojasoße
1 EL Reiswein oder Sherry
1 EL Sesamöl
2 Scheiben frischer Ingwer, fein gehackt
1/2 TL Zucker
gemahlener schwarzer Pfeffer, Salz
1 Eiweiß
2 EL Speisestärke
30 Shrimps

Die Teigfladen auftauen lassen. Ein feuchtes Tuch darüberbreiten, damit sie nicht austrocknen. Das Hackfleisch, die Sojasoße, den Reiswein, das Sesamöl und den Ingwer dazugeben. Mit Zucker, Pfeffer und Salz würzen und alles gut vermischen, sodass es eine glatte Masse ergibt. Eiweiß und Speisestärke dazugeben und nochmals durchkneten.

Zum Füllen jeweils einen Teigfladen in die linke Hand nehmen und etwa einen Teelöffel der Hackfleischmasse in die Mitte des Fladens geben. Die Teigränder nach oben ziehen, das Hackfleisch mit einem nassen Löffel glätten und jeweils einen Shrimp darauflegen. Die Teigblätter oben etwas zusammendrücken.

Einen Bambusdämpfer mit einem dünnen, feuchten Leinentuch auslegen. Das Tuch mit etwas Öl bestreichen. Die Teigtäschchen hineinsetzen. Den Dämpfer in einen Wassertopf stellen und 10 bis 15 Minuten über heißem Dampf garen.

Sie können nicht gegarte Shao Mai problemlos auf ein geöltes Blech setzen, einfrieren und anschließend in geeignete Behälter verpacken. Vor dem Dämpfen sollten sie vollständig aufgetaut sein.

蘇

州

評

彈

點

心

Der Suzhou-Opernsnack

Unter den zahlreichen typisch Shanghaier Snacks fällt einer mit dem kuriosen Namen »Doppelte Episode« (*shuang
dang*) auf. Dahinter verbergen sich zweierlei Tofu-Pro-
dukte: je zwei Rollen aus Tofu-Haut und zwei Hackfleisch-
bällchen, die mit Tofu-Haut ummantelt sind. Das Ganze
wird in klarer Brühe mit etwas Koriander oder gehackten Frühlingszwiebeln serviert. Man kann sich auch eine
»Einfache Episode« bestellen, dann bekommt man nur eins
von jeder Sorte.
Der Name geht darauf zurück, dass der Imbiss früher in
Teehäusern serviert wurde, wo Suzhou-Oper zur Aufführ-
rung kam. Man konnte entweder eine Episode lang zuhö-
ren, etwa eine Stunde, oder einer doppelten Episode lau-
schen, wofür natürlich mehr Stärkung nötig war.

Die Suzhou-Oper ist eine Tradition des öffentlichen Er-
zählens (*shuoshu*) im Suzhou-Dialekt und bekannt für ihre
ausschweifenden Geschichten. In der Regel treten zwei
Darsteller auf, ein Mann und eine Frau. Dramaturgisch
besonders wichtige Passagen werden gesungen und auf
der *sanxian*, einem dreisaitigen Zupfinstrument, und der
pipa, der chinesischen Laute, begleitet. Diese Darbietungsform benötigt weder Bühne noch Requisiten und konnte
daher ohne großen Aufwand in Teehäusern aufgeführt
werden, ein Tisch und ein paar Stühle genügten. Auch das
Publikum brauchte keine strengen Anfangszeiten oder
Kleiderordnungen zu berücksichtigen; man trank Tee,
rauchte und aß kleine Leckereien, zum Beispiel die besagte
»Einfache« oder »Doppelte Episode«.
Nach der Machtübernahme der Kommunisten 1949 wurde
diese Form der Volksbelustigung zwar nicht gänzlich ab-
geschafft, doch das Herumsitzen in Teehäusern galt als
»bourgeois«. Zum Zweck der ideologischen Überwachung
wurden solche Darbietungen auf *shuchang*, kleine Theater,
beschränkt.

Ich hätte nichts über den Hintergrund dieses kleinen Ge-
richts gewusst, hätte mir mein Vater nicht davon erzählt,
und zwar unter extremen Umständen. Als Besitzer eines
kleinen Betriebes galt er in Maos Theorie des Klassen-
kampfes als »schwarzer Kapitalist« und musste als solcher
»mit eingezogenem Schwanz« leben und sich durch harte
Arbeit reformieren. Vergnügungen wie der Besuch der
shuchang kamen für ihn nicht infrage. Als sich dann während der sogenannten Kulturrevolution der Klassenkampf
noch einmal intensivierte, musste mein Vater eine Selbstkritik schreiben, in der er sein »elendes bourgeoises Leben« in allen Details anprangerte. Dazu gehörten auch

»die Extravaganzen der Suzhou-Oper und die dazugehöri-
gen Snacks«. Er hatte zu jener Zeit gerade eine Augenope-
ration hinter sich und lag im Krankenhaus. Da die Augen
noch verbunden waren, diktierte er mir seine Selbstkritik.
Ich musste sie aufschreiben und sie später auch für ihn, der,
auf mich gestützt, öffentlich am Pranger stand, vorlesen.
Bald darauf probierte ich selbst zum ersten Mal die »Episode«, allerdings nicht im Rahmen einer Operndarbietung.
Unsere Schule war wegen Revolution geschlossen, und ich
ging mit ein paar Klassenkameraden zum Stadtgott-Tempel in eine billige Imbissbude, die für diese Spezialität bekannt war. Die einfache Variante kostete umgerechnet
12 Cent und schmeckte ausgezeichnet.
Während des Essens fiel mir ein älterer Gast am Nebentisch auf, der sich lediglich die Hälfte einer »Einfachen
Episode« bestellt hatte, eine Rolle Tofuhaut in klarer
Brühe. Dazu aß er ein großes, mitgebrachtes Fladenbrot,
das er in die Suppe tunkte. Als die Brühe zur Neige ging,
rief er der Bedienung zu: »Füll mir noch eine Suppe nach,
Genossin.« Ein köstliches Frühstück für ganze 9 Cent, wie
ich im Stillen nachrechnete.
Für einen einfachen Arbeiter mit dem damals üblichen
Standardlohn von 36 Yuan war das keine Extravaganz.
Und für die dazugehörige Operndarbietung hätte er sich
vermutlich ohnehin nicht interessiert. Ich weiß, es war ein
kindischer Gedanke, aber ich überlegte damals: Warum
soll dieses schlichte Vergnügen bei meinem Vater ein Ver-
brechen gewesen sein?
Kurz nach der Kulturrevolution starb mein Vater, noch auf
dem Sterbebett ein »Schwarzer«. Es sollte noch einige
Jahre dauern, bis in China Unternehmertum wieder als
»rot« und »fortschrittlich« galt.
Als ich 1995 zum ersten Mal nach sieben Jahren wieder
Shanghai besuchte, hatte sich der gesellschaftliche Wandel
enorm beschleunigt. Den Suzhou-Opernsnack gab es noch,

wenn auch zu einem Vielfachen seines damaligen Preises. Aber nur wenige kannten den Ursprung seines sonderbaren Namens, denn die dazugehörige Darbietungsform war aus dem Stadtbild verschwunden. Die meisten *shuchang* waren aus Mangel an Publikum geschlossen worden, man unterhielt sich mit Kino, Fernsehen, DVD, Internet und Karaoke. Ich bestellte mir noch ein paar Mal die »Einfache« oder die »Doppelte Episode«, doch auch sie schienen ihr Aroma eingebüßt zu haben.

Gut zehn Jahre später machen wir uns für ein inzwischen rar gewordenes kulinarisch-musikalisches Erlebnis in aller Frühe auf den Weg an die Peripherie Shanghais. Doch was mir wie eine Vorstadtgegend vorkommt, ist längst noch nicht die äußere Hülle dieser ständig expandierenden Riesenstadt. Aus Abrissbrachen schießen wie Bambus nach dem Regen Hochhäuser in die Höhe, die immer neue Wohnviertel bilden, städtische Subzentren mit entsprechender Infrastruktur und – im Glücksfall – S-Bahnanbindung. Ausgerechnet in eine solche gesichtslose »Neustadt« hat sich eine Unterhaltungsform hinübergerettet, wie sie früher für Shanghai typisch war und in vielen Teehäusern der Stadt gepflegt wurde: Im großen Saal des »Hongruixing«-Restaurants wird traditionelle Erzählkunst dargeboten, während die Gäste ihre Nudeln schlürfen, Sonnenblumenkerne knacken und Tee trinken. Verzehrzwang besteht nicht. Viele von ihnen sitzen vor ihren mitgebrachten Schraubgläsern mit Tee und gießen nur gelegentlich heißes Wasser aus den bereitgestellten Thermoskannen nach. Das Durchschnittsalter dürfte bei achtzig liegen. Allenfalls ein Enkelkind im Vorschulalter, das vermutlich vom Opa oder der Oma mitgenommen wurde, senkt den Durchschnitt. Es ist die Generation des Alten Jägers aus Qiu Xiaolongs Krimis, dem pensionierten Wachtmeister, die hier vertreten ist. Sie sind auch die Einzigen, die dem speziellen Dialekt der Geschichtenerzähler noch folgen können.

Die Vorstellung beginnt morgens um neun und findet nur dienstags statt. Man würde zunächst nicht vermuten, dass es sich dabei um eine regelmäßige, staatlich geförderte Veranstaltung für die Alten des Viertels handelt. Hier ist nichts zu spüren von der Tristesse deutscher Senioren-heime und Altenzentren, von der Vorsätzlichkeit verordne-ter Unterhaltung. Die Stimmung ist gut, das Publikum aufmerksam. Und doch werden hier zwei aussterbende Ar-ten gleichzeitig subventioniert, eine Kunstgattung, die mit ihren verbalen Ausschweifungen keinen Platz mehr in der Dynamik dieser Stadt hat, und ihr alterndes Publikum mit seinen spärlichen Renten.

Wir fallen in jeder Hinsicht auf, als wir uns einen Tisch an der Seite sichern, der sich bald mit Nudelschalen und Bam-busdämpfern füllt. Köpfe drehen sich, das kühlende Fä-cheln der Fächer setzt kurzzeitig aus, doch bald wendet sich die Aufmerksamkeit wieder dem Geschehen auf der Bühne zu. Dort ziehen Armeen gegeneinander, werden In-trigen und Kämpfe auf Leben und Tod ausgefochten, und doch sitzt nur eine einzelne Dame, deren Alter ich auf Mitte sechzig schätze, auf einem Stuhl hinter einem Tisch. Auch auf Instrumentenbegleitung wird heute ausnahms-weise verzichtet. Mit wenigen knappen Gesten, ausdrucks-voller Mimik und einer erstaunlich nuancenreichen und wandelbaren Stimme lässt sie die dramatische Handlung in den Köpfen ihrer Zuhörer entstehen, wobei sie in wech-selnden Stimmlagen sieben bis acht unterschiedliche Cha-raktere verkörpert. Die Stoffe sind bekannt, woran sich das Publikum delektiert, ist die erzählerische Ausgestaltung der Handlung und deren dramatische Darbietung.

Die Bühnenpräsenz dieser Opernveteranin ist faszinie-rend. Jede ihrer sparsamen Bewegungen, jede nonchalant

abgelieferte Pointe sitzt, eine dramatisch gehobene Augen-
braue und das Publikum horcht auf, hängt an ihren Lippen.
Ich verstehe zwar kein Wort dieses aus der Gegend um
Suzhou stammenden Dialekts – auch Xiaolongs Neffe, ein
Student der Betriebswirtschaft in den ersten Semestern,
der inzwischen zu uns gestoßen ist, muss passen –, doch
das tut der Unterhaltung keinen Abbruch. Die Episoden
gehen bruchlos ineinander über, die Erzählerin benötigt,
abgesehen von gelegentlichem kurzem Nippen am Teeglas,
keinerlei Pause, von einem Manuskript ganz zu schweigen.
Schon allein die körperliche Leistung, die sie da vorne voll-
bringt, ist beachtlich. Als wir ankamen, war die erste Episode bereits in vollem Gange, als wir nach anderthalb
Stunden das Lokal verlassen, ist noch kein Ende abzusehen. Und ich weiß jetzt, warum der Alte Jäger wegen seiner aus- und abschweifenden Erzählweise von seinen
Freunden mit dem Spitznamen »Suzhou-Operndarsteller«
belegt wurde.

Leider kann man den Suzhou-Opernsnack hier nicht nach-
kochen, da frische Tofu-Haut selbst in Asienläden nicht erhältlich ist. Ein Grund mehr, nach Shanghai zu reisen ...

Kampf zwischen chinesischen und amerikanischen Hähnchen

Deng Xiaopings Reformpolitik stieß die Tür zum Westen weit auf, und als Erstes drängte amerikanisches Fastfood herein. KFC, McDonald's und Pizza Hut eröffneten ihre Filialen in großen Städten wie Shanghai und Peking. Nach anfänglicher Neugier ebbte das Interesse bald wieder ab; die Chinesen blieben bei ihrer Überzeugung, dass die chinesische Küche allen anderen überlegen ist.

Damals war der Schlager vom »chinesischen Herz, das sich niemals wandelt« in aller Munde, ein patriotisches Lied, das zugleich eine politische Botschaft enthielt. Sofort kursierte die wesentlich realistischere Verballhornung vom »chinesischen Magen, der sich niemals wandelt«. Außerdem waren ein Big Mac oder ein Essen bei KFC für den durchschnittlichen chinesischen Geldbeutel unerschwinglich.

Doch in Shanghai sollte sich die Situation bald ändern. Die magischen Buchstaben KFC prägten sich vor allem den Kindern ein. Diese verwöhnten »kleinen Kaiser«, das Resultat von Chinas strikter Ein-Kind-Politik, bestanden auf ihrer neuen Leibspeise, und die Eltern hatten keine Wahl. Rasch wurde KFC der Renner bei den Jungen und Hippen; man feierte dort sogar Kindergeburtstage und Hochzeitsbankette. Zugleich wurde allenthalben der Siegeszug des Westens über den Osten beklagt, der nun sogar auf die Gastronomie übergegriffen habe.

Anfang der 1990er Jahre kam dann die erste ernst zu nehmende Antwort Chinas auf Kentucky Fried Chicken in Gestalt der Kette Glorious & Magnificent Chicken (»Ronghua Ji«). Das Angebot ähnelte dem von KFC, nur dass die chinesischen Hühner nach heimischer Art gewürzt und wesentlich preisgünstiger waren. GMC ließ verlautbaren, dass schließlich jeder ein Hühnchen braten könne, das Entscheidende sei die Würze. Eine Zeit lang schien es so, als entwickele sich GMC ebenfalls zu einer prosperierenden Kette mit Filialen in allen großen Städten.

1995 bei meinem ersten Besuch nach langer Abwesenheit aß ich zum ersten Mal bei GMC. Das goldbraune Brathähnchen schmeckte wie bei KFC, doch die Beilagen, eingelegter Kohl und zarte Sojasprossen, gaben dem Gericht eine unverkennbar chinesische Note. Allerdings fiel mir beim Essen auf, dass der Verkäufer hinter dem Tresen ständig Fliegen verjagte, und ich fröstelte, da die Heizung nicht funktionierte. Nichtsdestotrotz verzehrte ich noch in zwei weiteren Filialen dieses allseits gepriesene »patriotische« Hühnchen.

Die chinesische Sprache mit ihren unendlichen Möglichkeiten zu Sprachspiel und Mehrdeutigkeit gab dem Namen der Kette bald eine zweite Bedeutung: *Ronghua Ji* kann auch gelesen werden als »Hühnchen, das China glorifiziert«, und als solches war sein Verzehr ein patriotischer

Akt. Einige Zeitungen griffen das Wortspiel auf und empfahlen, GMC den Vorzug vor KFC zu geben. Und der Manager der Kette erklärte stolz: »Wo heute eine KFC-Filiale ist, da wird bald auch eine von GMC entstehen.« Der Kampf hatte begonnen.

Doch GMC konnte sich nicht durchsetzen. Bei meinen folgenden Besuchen in Shanghai sah und hörte ich immer weniger von den patriotischen Hühnern, während KFC stetig expandierte. Im Jahr 2000 las ich zu meinem Erstaunen in der Zeitung, dass GMC seine Filiale in Peking geschlossen habe. Entgegen aller patriotischen Propaganda waren immer mehr chinesische Konsumenten bereit, den stolzen Preis für das amerikanische Originalprodukt zu bezahlen.

Kurz nach der Jahrtausendwende wollte ich mit einer Freundin ein Buchprojekt besprechen, und angesichts des immer dichter werdenden Shanghaier Verkehrs suchten wir nach einem Treffpunkt in der Nähe ihrer Wohnung. Ihr Vorschlag lautete: Kentucky Fried Chicken.

Ich war erstaunt, als sie ohne ihren kleinen Sohn erschien, denn ich hatte vermutet, er stecke hinter dieser Wahl. »Hier ist es sauber, ruhig und gut klimatisiert«, erklärte sie, während wir uns einen Tisch am Fenster suchten. »Wir können stundenlang sitzen und ungestört reden.«

Bei Cola und Pommes unterhielten wir uns ausgiebig und blickten auf die Passanten hinaus, die sich durch die brüllende Sommerhitze schleppten. Offenbar schmeckte ihr auch das Hühnchen. Mir ebenso.

An jenem Abend fielen mir einige Besonderheiten ins Auge. In den Staaten hatte ich nie so lange in einer Filiale von KFC gesessen, das war dort in Fast-Food-Lokalen, wie der Name nahelegt, nicht üblich. Doch hier in Shanghai war das anders, die Gäste saßen lange, plauderten angeregt, und niemand nahm Anstoß daran. Man fühlte sich fast wie in einem jener vornehmen modischen Resorts. Auch bemerkte ich auf der Speisekarte einige chinesische

Gerichte, darunter den unerlässlichen Reis und die Sojasprossen.

Hier sind Globalisierung und Lokalisierung gleichzeitig
am Werk, auch wenn, wie mir meine Freunde berichten,
GMC trotz aller patriotischen Propaganda den Kampf zwischen chinesischen und amerikanischen Hühnchen verloren hat.

上海

Patriotismus hin oder her, für uns ist Chinas Antwort auf
die amerikanischen Hähnchenbrater auch weiterhin das
»Palasthuhn«, das in pürierter Form sogar den Astronau-
ten der zweiten bemannten, chinesischen Weltraumexpe-
dition mitgegeben wurde.

Gongbao Jiding
Palasthuhn

Für 2 Personen:
250 g Hähnchenfleisch (von Brust oder Keule)
4 EL Sojasoße
2 TL Speisestärke
2 EL Reiswein oder Sherry
3 Frühlingszwiebeln
1 haselnussgroßes Stück Ingwer
2 Knoblauchzehen
1/3 Tasse Hühnerbrühe
2 EL Essig
1 TL Zucker
2 EL Öl
10 getrocknete Chilischoten (dieses Gericht ist der scharfen
Sichuan-Küche zuzurechnen, man kann mit den Chilis auch

Chinesische und amerikanische Hähnchen
Gongbao Jiding

sparsamer umgehen; außerdem muss man sie nicht essen,
sie dienen nur der Aromatisierung)
1 TL Sichuanpfeffer, im Mörser zerkleinert
50 g gesalzene Erdnüsse

Das Hähnchenfleisch in Würfel schneiden und mit 1 EL Sojasoße, 1 TL Speisestärke und 1 EL Reiswein 10 bis 15 Minuten
marinieren.
Die Frühlingszwiebeln putzen, waschen und in 5 cm lange
Stücke schneiden. Ingwer und Knoblauch schälen und in feine
Scheiben schneiden. Für die Soße 3 EL Sojasoße, 1 EL Reiswein, die Hühnerbrühe, den Essig, 1 TL Speisestärke und den
Zucker verrühren und beiseitestellen.
Das Öl im Wok erhitzen. Chilischoten und Sichuanpfeffer
darin rösten. Hähnchenfleisch dazugeben und unter Rühren
braten. Sobald das Fleisch anfängt, braun zu werden, Frühlingszwiebeln, Knoblauch und Ingwer zugeben. Die Soße noch
einmal durchrühren und in den Wok geben. Wenn sie einge-
dickt ist, die Erdnüsse unterrühren.

Mit einer Träne im Knopfloch –
Kulinarische Vergangenheitsbewältigung

Diese Stadt, so zukunftsorientiert und fortschrittswütig sie auch sein mag, zeigt neuerdings einen ausgeprägten Hang zur Nostalgie. Während der ersten fünfzig Jahre kommunistischer Herrschaft war das prächtige architektonische Erbe der Kolonialzeit als kapitalistisch und imperialistisch verdammt worden. Inzwischen hat man im nach wie vor kommunistischen Shanghai die Vergangenheit für sich entdeckt, und zwar als gewinnträchtiges Kapital für die Eigenvermarktung. Während auf der einen Seite alte Wohnquartiere großflächig abgerissen werden, um immer neuen Wolkenkratzern Platz zu machen, wird auf der anderen entkernt und umgebaut, restauriert und inszeniert. Das betrifft vor allem Shanghais Blütezeit, die 20er und 30er Jahre. Damals galt die Stadt als das Paris des Ostens, verrucht und faszinierend zugleich. Der Ruf der Shanghaier Singsong-Girls gelangte bis nach Deutschland und regte die Phantasie der Filmregisseure an; »schanghaien« (das Betrunkenmachen von Seeleuten, die dann wider-

standslos an Bord eines Schiffes gebracht wurden) fand sich
als Verb in deutschen Wörterbüchern, Marlene Dietrich
reiste im »Shanghai Express« über Deutschlands Kino-
leinwände, und die Wienerin Vicki Baum versammelte die
unterschiedlichsten Schicksale in ihrem »Hotel Shanghai«.
Shanghais koloniale Vergangenheit konzentriert sich am
Bund, der Uferstraße am Huangpu (eigentlich die Zhongshan Dongyilu), deren Prachtbauten seit dem Ende des
19. Jahrhunderts emporwuchsen. Sie hatten, gemäß den
Wechselfällen der Geschichte, häufige Mieterwechsel zu
verzeichnen. Früher einmal Sitz der großen westlichen
Reedereien und Banken, der Luxushotels und Kolonial-
behörden, wurden sie nach 1949 enteignet, und in die
Marmorpaläste zogen die Verwaltungsorgane der kommunistischen Planwirtschaft ein. Statt der Embleme des internationalen Kapitals wehten nun die roten Fahnen mit den
gelben Sternen auf den Dächern. Das Glockenspiel des
ehemaligen Zollamts spielte nicht länger die Melodie des
großen Bruders Big Ben, sondern die Hymne der Kommunistischen Partei Chinas: »Der Osten ist Rot, die Sonne
geht auf«. Nur das an der Einmündung der Nanjing Lu ge-
legene Peace-Hotel, ehemals Cathay, 1956 enteignet und in
Heping fandian – Friedenshotel – umbenannt, ist sich in
Architektur und Funktion als Nobelhotel durch alle
Stürme der Geschichte treu geblieben; seit 1980 spielen
dort allabendlich wieder die legendären Senioren-Jazzer
ihre Standards.
Seit der kapitalistischen Wende in den 1990er Jahren sind
diese Immobilien allerdings viel zu lukrativ, um dort Ka-
derbeamte ihre Akten wälzen zu lassen. Nachdem man sie
entkernt, aufwendig restauriert und vom Kohlgeruch der
sozialistischen Kantinen befreit hatte, zogen als zahlungs-
kräftige Mieter internationale Nobelmarken, Agenturen,
teure Restaurants und Bars ein, die von ihren Speisesälen
und Show-Rooms einen spektakulären Blick auf den Fluss

und Shanghais stetig expandierende Zukunft, die Skyline von Pudong, haben. In den frostig klimatisierten Foyers kann man gepflegt Kaffee trinken, auf den Dachterrassen ein westliches Abendessen zu sich nehmen oder einer Lesung beiwohnen (»M on the Bund«, Eingang No. 20 Guangdong Lu) oder die Lichterpracht von der mit Sand und Palmen als Beach dekorierten Dachterrasse der hippen »Bar Rouge« bestaunen (Bund No. 18). Die Zeiten, als im Bund-Park (Huangpu Park) Hunden und Chinesen der Zutritt verwehrt wurde – inzwischen als Legende entlarvt –, sind endgültig vorbei.

Auch drüben auf der anderen Seite des Flusses hat sich viel verändert. Das neue China hat dem kolonialen Erbe des Bund eine selbstbewusste Antwort entgegengesetzt: die Sonderwirtschaftszone Pudong, für die Deng Xiaoping 1990 den Startschuss gab. Früher einmal galt der Spruch »Ein Bett westlich vom Fluss (*puxi*) ist besser als ein Haus östlich vom Fluss (*pudong*).« Inzwischen kann ein Bett östlich des Flusses, etwa in dem derzeit noch dritthöchsten Gebäude der Welt, dem 420 m hohen Jinmao-Tower, in dem das Grand Hyatt die Stockwerke 55 bis 83 belegt, ziemlich teuer kommen. Auch im Fernsehturm, der architektonisch weniger gelungenen »Perle des Orients«, kann man sich einmieten. Von beiden Standorten hat man einen wunderbaren Blick auf die alte Pracht. Man kann zu diesem Zweck aber auch die jeweiligen Aussichtsplattformen aufsuchen.

Historisch gesehen ist Pudong der Schatten des Bund und hält diesem zugleich den neokapitalistischen Spiegel vor. Wer sich den Sinn für Langsamkeit bewahrt hat, kann auf einer Fähre, die etwa auf Höhe der Yan'an Lu verkehrt, zwischen beiden Welten pendeln.

Auch die Wohnquartiere der damals Reichen und Mächtigen hat man in eine nostalgische Amüsiermeile verwandelt, deren Zentrum die von Platanen gesäumte Hengshan

Lu bildet – die ehemalige Avenue Haig in der Französischen Konzession, dem heutigen Jing'an-Viertel. Ihre im europäischen Landhausstil erbauten Villen wurden in geschmackvolle Bars und Restaurants verwandelt. Dort gilt der Hinweis auf den politischen Erbfeind, vor wenigen Jahren noch undenkbar, heute als werbewirksames Lockmittel beim Kundenfang. So wirbt man zum Beispiel im »Sasha's« damit, dass hier einst Madame Chiang Kaishek residierte. Die dreigeschossige 20er-Jahre-Villa mit Garten an der Ecke Dongping Lu – heute Bar, Restaurant und Veranstaltungsort der besonderen Art – gehörte einst T.V. Soong (Song Ziwen), dem seinerzeit reichsten Mann und Förderer Chiang Kaisheks, der nebenan wohnte. Es waren sicherlich nicht nur gutnachbarliche Beziehungen, die Chiang dazu bewogen, Song Meiling, die kleine Schwester seines finanzkräftigen Nachbarn, zu heiraten. Macht und Geld war schon immer eine Erfolg versprechende Kombination. Song Ziwen fungierte später unter dem Generalissimo als Finanz-, Außen- und sogar Premierminister. Inzwischen ist Reichtum auch in der postkommunistischen Volksrepublik nichts Anstößiges mehr. Von der Wand des Restaurants grüßt die schlecht in Öl gemalte Song-Sippe, während an der Bar aufstrebende Jungunternehmer ihre Cocktails schlürfen und auf einen Tisch zum Abendessen warten.

→ Sasha's. Westliche Küche. Nr. 11 Dongping Lu
 Tel. 64 74 61 66 (Reservierung empfohlen)

Die Nostalgiewelle hat mittlerweile sogar die jüngste politische Vergangenheit eingeholt. Wie negativ die Erfahrungen mit der Kulturrevolution und Mao-Ära im Einzelfall gewesen sein mögen, im kollektiven Gedächtnis lässt sich selbst diese Zeit vergolden und zu einem kulinarischen Erlebnis der besonderen Art vermarkten.

Restaurant für landverschickte Jugendliche

Ab 1970 wurden unter dem Motto »Hinauf auf die Berge, hinab in die Dörfer« im großen Stil 15- bis 18-Jährige, die eine höhere Schule besuchten, aufs Land verschickt, um dort von den »armen und unteren Mittelbauern« umerzogen zu werden. »Geht aufs Land, geht an die Grenzen, geht dorthin, wo unser Vaterland euch am meisten braucht«, hieß es in einem von Mao verfassten Lied. Die Shanghaier Jugend wurde vornehmlich in das Tausende von Kilometern entfernte Dongbei oder in die Grenzprovinzen Yunnan und Xinjiang verschickt. Für die meisten war das eine harte Zeit, und viele sind von diesen Einsätzen nicht mehr zurückgekehrt, entweder weil sie später keine Zuzugsgenehmigung mehr für ihre Heimatstadt erhielten, oder weil sie tödlich erkrankten oder ihrem Leben im ländlichen Exil selbst ein Ende setzten. Was in Qiu Xiaolongs Romanen für Hauptwachtmeister Yu und seine Frau Peiqin ein vergleichsweise gutes Ende nahm, war für Wen, die »Frau mit dem roten Herzen«, und Yin, das Opfer in »Schwarz auf Rot«, der Beginn einer Tragödie mit tödlichem Ausgang. Doch in der Rückschau verklärt sich so manches, und man ist schließlich nur einmal jung.

Auf diesen Effekt schienen die Betreiber des »Beidaliu buliaoqing« (Sehnsucht nach der großen nördlichen Ebene) gesetzt zu haben, als sie 1996 dieses Nostalgierestaurant mit der für den Nordosten Chinas typischen Küche eröffnet haben. Wir hatten davon in einem Restaurantführer gelesen und am Telefon die Auskunft erhalten, dass das Lokal ab elf Uhr geöffnet sei. Doch der Wachmann vor dem großen Geschäftshaus im Norden der Stadt winkt ab: »Das ist geschlossen. Wird derzeit renoviert. Aber fragen Sie mal im 3. Stock, die beiden Restaurants gehören zusammen.« Leicht irritiert steigen wir in den Lift. Oben führt uns die Empfangsdame im hochgeschlitzten *qipao* in einen Speisesaal, der wie jedes x-beliebige chinesische Speiselokal dekoriert ist. »Ja«, bestätigt sie, »hier wird nordostchinesische Küche serviert. Bitte nehmen Sie Platz.« Doch wir haben den weiten Weg mit dem Taxi nicht gemacht, um als einzige Gäste im riesigen Saal Dongbei-Küche zu essen. Xiaolong, inzwischen etwas ungehalten wegen der anderslautenden Telefonauskunft, insistiert. Leider werde das Restaurant für landverschickte Jugendliche derzeit umdekoriert, lautet die Antwort. Es sei nicht mehr in Betrieb, das Essen in diesem Lokal sei aber dasselbe. Wir möchten doch bitte Platz nehmen. Wir sind aber wegen der Nostalgie gekommen und erst in zweiter Linie wegen des Essens. Ein weiterer Wortwechsel folgt. Schließlich lässt sich die Empfangsdame, die um ihre einzigen Gäste fürchtet, erweichen. Sie will uns das Lokal kurz zeigen, anschließend sollen wir hier oben essen.

Wir folgen ihr in den 2. Stock und betreten dort einen weiteren Speisesaal, in dem einige Hotelangestellte und Handwerker gerade ihr Mittagessen einnehmen. An zentraler Stelle über dem Eingang hängt ein Mao-Poster mit den roten Spruchbändern der Direktive zur Landverschickung. Die Wände sind mit Schwarz-Weiß-Fotos und Stalllaternen dekoriert, Sonnenblumen aus Plastik und Knoblauchkränze umranken den ländlichen Kitsch. Dann entdecken wir, dass es auch kleine Nebenzimmer gibt, die Namen wie »Jagdhütte« oder »Waldklause« tragen. Stilgerecht sind sie mit eisernem Bullerofen aus einem Ölfass, ausgestopften Rehböcken, Feldflaschen, Patronengurten und Gewehrständen ausgestattet. Außerdem gibt es noch eine Bauernstube mit gemauertem Ofenbett und Mao-Wecker. Warum wir nicht hier essen können? Die Managerin willigt notgedrungen ein, die Gerichte werden aus dem 3. Stock heruntergebracht. Wir entscheiden uns für die weniger martialisch ausgestattete Bauernstube und klettern auf den *kang*, das für den Norden typische gemauerte Ofenbett. Eine Kommode enthält die wattierten Bettdecken, und ein Regal

mit kleiner Mao-Büste und Emaille-Waschschüssel ver-
vollständigen die Einrichtung. Die Wand ziert eine Samm-
lung von Mao-Buttons. Eine Bedienung mit bäuerlich run-
dem Gesicht bringt Tee in einfachen Gläsern, dazu eine
rote Plastikthermoskanne mit dem Schriftzeichen *zhi*, kurz
für »Intellektuelle«, aus der sie heißes Wasser nachfüllt.
Wir bestellen einige Gerichte der mild-schmackhaften
Nordost-Küche, dazu Fladen aus grobem Maismehl.

Die junge Bedienung ist wesentlich auskunftsfreudiger als
ihre Chefin. Das Geschäft habe nachgelassen und der Speisesaal werde jetzt als Kantine für die Angestellten benutzt.
Bis vor Kurzem sei hier viel los gewesen. Sie zeigt uns das
Gästebuch mit den rührseligen Kommentaren ehemaliger
Gäste. Hier traf man sich, um von den schlechten alten Zeiten zu erzählen, die sich mittlerweile in gute verklärt haben. Man traf sich, um damit zu prahlen, wie weit man es
inzwischen gebracht hat, und man genoss in Zeiten des
»ostentativen Konsums« den längst vergessenen Reiz der
Kargheit. Doch der Trend ist abgeflaut. Die landverschick-
ten Jugendlichen bilden eine begrenzte Jahrgangsgruppe,
den Nachgeborenen ist diese Art der »Weißt-du-noch-
Nostalgie« fremd. Und allein des Essens wegen macht man
nicht extra den Weg hierher.

Man muss sich das in etwa so vorstellen, als würde in
Deutschland ein Lokal mit Reminiszenzen an den BdM
(Bund deutscher Mädel) und die HJ (Hitlerjugend) werben.
Vergleichbare Berührungsängste scheint es hier nicht zu
geben. Doch die Geschäftsidee hat nur begrenzte Halb-
wertszeit. Ist die betreffende Altersgruppe durch, dann
sinkt die Nachfrage. Daher soll jetzt umdekoriert werden.
Auch das eine Art der Vergangenheitsbewältigung.

Mao- und Deng-Restaurants

Dennoch sind »politische« Restaurants nicht ganz aus der Mode gekommen. Viele von ihnen werden mit Mao Zedong, bis zu seinem Tod 1976 Vorsitzender der Kommunistischen Partei Chinas, und Deng Xiaoping, Ministerpräsident und Vater der Reformen, in Verbindung gebracht. Mao stammte aus der Provinz Hunan, Deng aus Sichuan, zugleich zwei bedeutende chinesische Regionalküchen. Doch hier geht es um mehr als nur Spezialitäten.

Im Konsumzeitalter lässt sich alles vermarkten, so auch die Erinnerung an diese großen Führer. Doch die Restaurantbetreiber müssen Vorsicht walten lassen bei ihren Anspielungen auf die großen Staatsmänner. Das beginnt schon bei der Namenswahl. So heißt zum Beispiel eines der beliebten Mao-Restaurants in Shanghai »Di Shui Tong« oder »Grotte des tropfenden Wassers«, was sich auf eine bekannte Höhle unweit von Maos Geburtsstadt Shaoshan bezieht. Das Deng-Restaurant firmiert, etwas direkter, als »Deng Ji Chuancai« oder »Spezialitäten aus dem Hause Deng«, wobei der Besitzer sich auf eine Namensgleichheit mit dem großen Politiker beruft. Dennoch sind die Anspielungen für jeden Chinesen unmissverständlich.

Eines Mittags nach dem Bücherkauf unweit des U-Bahnhofs Shanxi Lu, wobei ich auch ein Buch über Maos Leben erstanden hatte, betrat ich interessehalber die »Grotte des tropfenden Wassers« an der Maoming Lu.

Der Speisesaal ist mit Holz verkleidet, karierte Tischdecken und dekorative bäuerliche Gerätschaften suggerieren ländliches Ambiente, ebenso die rotwangigen Bedienungen im weiß-blauen Bauernkittel. Schon während sie mir die Speisekarte entgegenstreckt, beginnt sie mit ihren Empfehlungen:

»Sie müssen unbedingt Maos Leibgericht probieren, fetter Schweinebauch in Sojasoße geschmort. Klingt wie ein einfaches Gericht, doch dahinter verbirgt sich eine geschichtsträchtige Delikatesse. Am Vorabend einer wichtigen Schlacht während des Bürgerkriegs sagte Mao: ›Mein Hirn ist ausgebrannt, ich brauche unbedingt in Sojasoße geschmorten Schweinebauch, um es wieder in Gang zu bringen.‹ In jenen Jahren kam kaum Fleisch auf den Tisch, doch dem Zentralen Parteikomitee gelang es, eine Schale davon aufzutreiben. Und prompt führte Mao daraufhin die Volksbefreiungsarmee von Sieg zu Sieg. Sie können das nachlesen in den ›Geschichten des Vorsitzenden Mao‹; es steht auf Seite 77, wir haben das Buch da. Wie könnte der Große Vorsitzende irren?«

»Wie könnte er«, echote ich. Auch mein ausgebranntes Hirn verlangte plötzlich nach fettem Schweinebauch.

»Und dann haben wir noch Wuchang-Fisch, ein anderes Lieblingsgericht von ihm. Erinnern Sie sich an den Anfang seines Gedichts ›Schwimmen‹? ›Hab kaum getrunken von Changshas Wasser, / und hab gegessen von Wuchangs Fisch …‹«[*]

Natürlich erinnerte ich mich an diese beiden Zeilen. In meinen Oberschuljahren waren diese Gedichte die einzigen literarischen Texte in unseren Schulbüchern. Unter Wuchang-Fisch versteht man einen flachen Flussfisch aus dem Yangzi, der unweit der Stadt Wuchang gefangen wird und bereits in der klassischen chinesischen Lyrik als Delikatesse gepriesen wurde.

Ich nickte und bestellte zusätzlich noch einen Teller gebratene rote Chilischoten, zu denen die Bedienung ebenfalls einen Mao-Spruch parat hatte: »Menschen, die rote Chilischoten mögen, sind Revolutionäre.«

[*] Mao Tse-tung: 37 Gedichte. Übersetzt und mit einem politisch-literarischen Essay ediert von Joachim Schickel. München, dtv, 1967. S. 31.

Zu meiner Enttäuschung erwies sich der berühmte Flussfisch als zäh und geschmacklos; vermutlich war er schon
zu lange tot, gefroren und wieder aufgetaut. Die Chilischoten verbrannten mir die Zunge, und der Schweinebauch
schwamm in öligem Fett. Genug der Mao-Nostalgie, dachte
ich mir, und war daher bei nächsten Mal, in Begleitung von
Susanne, vorsichtiger.

Diesmal entschieden wir uns für »Spezialitäten der Familie
Deng«, und ich machte zuvor meine Hausaufgaben im Internet. Dort hieß es, das Rindfleisch in »Deng's« sei das
beste der Stadt. Wir waren außerdem mit Chen Danyan ver-
abredet, einer Schriftstellerkollegin, die für ihre Kenner-
schaft das alten Shanghai bekannt ist und einen wunderbaren Bildband herausgebracht hat. Gute Gesellschaft und
mindestens ein gutes Gericht schienen also gewährleistet.

Das Lokal hatte eine eher traditionelle Ausstattung in Rot-
holz, und auch die Bedienung war unauffällig. Vergeblich
suchten wir nach Deng-Memorabilien oder anderen Anspielungen auf die Person des rehabilitierten Reformers.
Auch in der Speisekarte entdeckten wir außer den typischen Merkmalen der Sichuan-Küche und der Namensgleichheit des Chefs keine weiteren Bezüge.

Ich bestellte nach meinem Computer-Printout, und das
Rindfleisch erwies sich tatsächlich als hervorragend, zart
und köstlich, wie es in der eigenen Küche nie gelingt. Wie
zu Hause schmeckte dafür der für die Sichuan-Küche un-
erlässliche scharfe Ma Po Tofu. Hervorragend war auch
der Fischtopf mit eingelegtem Kohl. Leicht säuerlich und
scharf schwamm der weißfleischige Fisch appetitlich in
einer Suppe mit rotem Chili und grünem Koriander. Ich
musste Chen und Susanne während des Essens mehrmals
davon nachreichen. Auch die »Lungenstreifen auf Ehe-
paar-Art« und die »Verrückt schmeckenden Hühnchen-
streifen« waren trotz ihrer sonderbaren Namen gut. Es
war ein angenehmes Mittagessen, und dennoch war ich

enttäuscht. Mir schien die Anspielung auf Deng Xiaoping entgangen zu sein.

Bevor wir gingen, holte ich mir am Tresen eine Karte, denn man kann das Restaurant durchaus weiterempfehlen. Als ich aufsah, erblickte ich ein scharlachrotes Samtbanner, das über dem Schanktisch gleich beim Ausgang hing. Hier war sie, die gesuchte Verbindung und zugleich Motto des Lokals; in goldenen Lettern verkündete das Banner: »Wohlgeschmack ist oberster Grundsatz.«

Es war eine Anspielung auf Dengs berühmten Ausspruch »Fortschritt ist oberster Grundsatz«, den er zu einer Zeit machte, als noch darum gestritten wurde, ob wirtschaftliche Reformen im Sinne der Marktwirtschaft mit dem Sozialismus vereinbar seien. Deng verwarf die Debatte als irrelevant, indem er darauf hinwies, dass Fortschritt, solange er den Massen ein besseres Leben ermögliche, oberster Grundsatz zu sein habe. Während man über den Erfolg von Dengs Reformen geteilter Meinung sein kann, wird wohl niemand an dem modifizierten Motto des Restaurants zweifeln.

Susanne und ich ließen uns unter dem roten Banner fotografieren und dachten dabei an Deng Xiaoping. Chen Danyan wollte nicht mit aufs Foto. Vermutlich ist sie schon in zu vielen solchen Restaurants gewesen.

上海

→ Deng Ji Chuancai, No. 737 Dingxi Lu,
Changding-Distrikt, Tel. 62 81 04 49, 62 81 87 23

Ma Po Doufu
»Tofu der Pockennarbigen Alten«

Als ein Gericht neben anderen für etwa 4 Personen:
400 g Tofu
4 EL Öl
150 g Rinderhackfleisch
1 Schuss Reiswein oder Sherry
1 EL scharfe Bohnenpaste (*doubanjiang*, Sichuan-Bohnen-
paste)
1 TL Ingwer, fein gehackt
200 ml Gemüsebrühe
Salz
1 EL helle Sojasoße
1 TL Speisestärke
75 g Knoblauchgrün (ersatzweise Lauchgrün)
1 TL ungemahlener Sichuanpfeffer – in der Pfanne rösten und
im Mörser zerkleinern oder 2 Messerspitzen Pulver (beide
Formen sind im Asienladen erhältlich; erstere entfaltet aber
ein besseres Aroma)

Den Tofu in 2 cm große Würfel schneiden. Das Öl in der
Pfanne erhitzen, aber nicht rauchen lassen. Das Hackfleisch
dazugeben, zerteilen und unter Pfannenrühren kurz anbraten.
Mit Reiswein ablöschen und unter ständigem Rühren die Bohnenpaste hinzufügen und gut verteilen. Den gehackten Ingwer
dazugeben und mit der Brühe aufgießen. Den Tofu, 1 Prise
Salz und Sojasoße hinzufügen und bei starker Hitze zum
Kochen bringen. Die Hitze wieder reduzieren und noch etwas
einkochen lassen. Die Speisestärke in etwas kaltem Wasser
glattrühren und die Soße damit andicken. Lauchstreifen und
Sichuanpfeffer dazugeben und servieren.

Mit einer Träne im Knopfloch
Ma Po Doufu

Der Begriff *ma po* bedeutet »pockennarbige Alte« und bezeichnet eine historische Gestalt, auf die diese Zubereitungsart angeblich zurückgeht; *ma* bedeutet, anders geschrieben, auch scharf. Alles, was diese Bezeichnung trägt, ist also besonders scharf.

In gut sortierten Asienläden kann man unter den Bezeichnungen *mapo* oder *mala* eine fertige Würzmischung oder Paste finden, die man dann nur mit dem gebratenen Hackfleisch und dem Tofu vermischen muss. Ingwer und Lauchgrün sollte man aber auf jeden Fall frisch hinzufügen.

Esst euch gesund –
Vegetarisches und Heilküche

Wer dabei an Salatbuffets denkt, liegt falsch. Chinesen essen kaum etwas roh. Hauptbestandteil der traditionellen
chinesischen vegetarischen Küche ist weder Gemüse oder
gar Salat, sondern Tofu. Wer dieses eiweißreiche Sojapro-
dukt für fade hält, wird hier eines Besseren belehrt, denn
daraus werden in China Gerichte in den unterschiedlichsten Geschmacksrichtungen gezaubert. Nicht selten geben
sie vor, Fleisch zu sein, und schmecken dann auch verblüf-
fend echt. Es mag ironisch anmuten, auf der Karte eines
vegetarischen Lokals Gerichte zu finden wie »knusprige
Entenhaut« (fritierte Tofuhaut), »geschmortes Huhn«
(Tofu in Sojasoße geschmort), »kurz gebratenes Rindfleisch« (Tofustreifen mit Paprika) oder »Aal« (gebratene
Auberginenstreifen).

Das wiederum hat mit der Nähe der vegetarischen Küche
zum Buddhismus zu tun, der es vermeidet, andere Lebe-
wesen zum Zwecke der eigenen Ernährung zu töten. Da-

mit die Mönche nicht völlig auf irdische Genüsse aus der
»Welt des roten Staubes« verzichten mussten, hat sich im
Umfeld der Klöster über Jahrhunderte diese Küche der raffinierten Illusion herausgebildet. Vegetarische Restaurants finden sich daher meist in der Nähe von Klöstern und
Tempeln. Auch der Normalbürger nahm ein vegetarisches
Mahl mit der Überzeugung zu sich, er tue etwas Gutes für
seine Gesundheit und verbessere zugleich sein Karma. Vegetarisches Essen ist also nützlich, wenn nicht in diesem,
so zumindest für das nächste Leben; eine Geste frommer
Demut, mit der man sich die höheren Mächte gewogen
macht. Gegen diese Überzeugung konnte auch die kommu-
nistische Propaganda nichts ausrichten, wie folgende Erinnerung aus Qiu Xiaolongs Kindheit Anfang der 60er Jahre
zeigt.

Meine Eltern nahmen uns gelegentlich mit zum Jing'an-
Tempel, um dort den Ahnendienst zu verrichten. Die Mönche rezitierten Sutren und klopften auf ein hölzernes
Instrument in Form eines Fisches, meine Mutter entzün-
dete Bündel mit Räucherstäbchen und verbrannte Totengeld, während mein Vater murmelnd seinen Kotau machte.
Meine Schwester und ich standen staunend dabei, faszi-
niert von all dem sonderbaren Treiben. Das sich daran
anschließende vegetarische Mahl war weit weniger ein-
drucksvoll. Es hat sich meinem Gedächtnis nicht einge-
prägt. Soweit ich mich erinnern kann, hat niemand dieses
Essen als solches geschätzt.
Eine der besten Mahlzeiten meiner Kindheit war ebenfalls
vegetarisch und fand im »Gongdelin« statt, dem »Wald
der Verdienste und Tugenden«. Das war kurz nach Ausbruch der Kulturrevolution. Ich litt an einer Bronchitis, die
einfach nicht besser werden wollte, und hatte schon seit

Wochen keinen Appetit mehr. Gemäß dem chinesischen Motto, dass ein Mann aus Stahl mit dem Eisen seiner Nahrung gehärtet wird, ging meine Mutter mit mir zu einem traditionellen chinesischen Arzt, der wie ein Einsiedler in einer der Gassen hinter dem Hotel für Auslandschinesen in der Nanjing Lu praktizierte. Der alte Mann erschien mir höchst geheimnisvoll; er trug ein langes Gewand im Stil der Qing-Zeit und darüber eine Weste; er schnüffelte an einem Schnupftabaksfläschchen aus Jade und schrieb seine Rezepte mit einem Pinsel aus Stinktierhaar.

Nach der Konsultation ging meine Mutter mit mir ins »Gongdelin«, ein bekanntes vegetarisches Restaurant. Es war bei uns damals nicht üblich, auswärts zu essen, warum also ausgerechnet ein vegetarisches Lokal, das, soweit ich mich erinnern kann, nicht zu ihren Lieblingsrestaurants zählte? Vielleicht weil es am Weg lag. Vielleicht auch, weil man gemeinhin glaubt, ein köstliches Essen könne »den Magen öffnen«, also den Appetit anregen. Womöglich war es aber auch eine Geste, die an den unsichtbaren Buddha appellieren sollte, mich wieder gesund zu machen.

Jedenfalls hielt jener Tag viele Überraschungen für mich bereit. Die vegetarischen Gerichte schmeckten so ungewohnt und anders, dass ich sie mit großem Genuss verzehrte, vor allem das Obst und die winzigen Klößchen aus Klebreis, die besten, die ich je gegessen habe. Und tatsächlich kam daraufhin mein Appetit zurück; ich wurde wieder gesund.

Das 1922 eröffnete »Gongdelin« gibt es noch heute, und es zählt zu den besten und beliebtesten vegetarischen Restaurants der Stadt (No. 445 Nanjing Xilu, Tel. 63270218; Reservierung dringend empfohlen). Nach der letzten Renovierung präsentiert es sich in geschmackvoll moderner

Inneneinrichtung, die auf jeden Schnickschnack verzichtet.
Von den Fensterplätzen des ersten Stocks kann man das
lebhafte Treiben auf der noblen Einkaufsmeile unter sich
beobachten. Die zweisprachige Speisenkarte ist erschöp-
fend. Besonders zu empfehlen ist hier das Krabbenfleisch-
Püree, dessen Konsistenz und köstlicher Geschmack sich
allein den raffiniert mit Ingwer und Essig zubereiteten Karotten und Kartoffeln verdankt. Es versteht sich, dass in
solchen Lokalen nicht mit Geschmacksverstärker nachge-
holfen wird.

Heutzutage verträgt sich das ursprünglich religiös moti-
vierte Konzept der chinesischen vegetarischen Küche aufs
Beste mit modernen Vorstellungen von einer gesunden,
ökologisch bewussten Ernährung.

Diesem neuen Trend trägt eine Reihe von Restaurants mit
dem schlichten Namen »Feigenbaum« (*Zaozishu*) Rechnung. Von einem ebenfalls buddhistisch motivierten Tai-
waner ins Leben gerufen, existieren mittlerweile bereits
fünf Lokale dieser Art in Shanghai und erfreuen sich großer Beliebtheit. Wer nach 17 Uhr 30 kommt, muss mit eini-
ger Sicherheit auf einen Tisch warten, da nur die Separées
vorbestellt werden können. Zu diesem Zweck wurde eigens
eine Art Warteraum eingerichtet, in dem ökologisch sauber
produzierte Lebensmittel – vergleichbar unseren Natur-
kostläden – angeboten werden; angesichts verheerender
Umweltverschmutzung und skrupelloser Nahrungsverun-
reinigung ist das ein in China zunehmend wichtiges The-
ma. Die Wartezeit kann sich der Gast mit dem Newsletter
der Restaurantkette vertreiben, der hier ausliegt und über
ökologischen Landbau, Tierschutz und verwandte The-
men informiert. Von dort wird man vom aufmerksamen,
zahlreich vorhandenen Personal an seinen Platz geführt.

Dieses Lokal vertritt eine für die Volksrepublik China noch
recht neue Philosophie, die es seinem meist jungen Publikum auf explizite, aber unaufdringliche Weise zu vermit-

teln sucht. Die chinesisch-englische Speisekarte, die zudem bebildert ist, weist zunächst einmal auf die vier Gebote dieses Lokals hin: nicht rauchen, keinen Alkohol, keine Eier, kein Fleisch. Hinzu kommt die Versicherung, dass hier nur reines Wasser verwendet wird, kein Geschmacksverstärker zum Einsatz kommt und ökologisch erzeugten Lebensmitteln der Vorzug gegeben wird.

Gemäß den Grundsätzen der Traditionellen Chinesischen Medizin (TCM) wechselt die umfangreiche Speisenkarte mit den Jahreszeiten. Sie enthält das gesamte Gourmetspektrum vom Dim Sum über Feuer- und Schmortöpfe, Suppen, Gebratenem und Gesottenem bis hin zu köstlichen Nachspeisen – alles natürlich rein vegetarisch. Auch hier darf man sich von Namen wie »Tintenfischröllchen nach Sichuan-Art mit Chilisoße und Erdnüssen«, »Steak mit schwarzer Pfeffersoße« und »Hühnchen in Zitronensoße« nicht in die Irre führen lassen. Außerdem gibt es Gesundheitstees nach den Rezepten eines Arztes der Shanghaier Xiangshan TCM-Klinik, deren Ingredienzen und Heilwirkung genau beschrieben werden. Auch frisch gepresste Fruchtsäfte sind im Angebot.

An jenem Abend hatten wir einige überzeugte Fleischesser in unserer Runde, die mit großer Skepsis in dieses Lokal gekommen waren. Und auch sie waren am Ende begeistert. Die pikante Zitronensoße, die das knusprige Tofu-Hühnchen aufs Beste ergänzte, wurde bis zum letzten Tropfen aufgetupft.

→ Zaozishu, No. 77 Songshan Lu (eine Querstraße zur Huaihai Lu; etwas zurückgesetzt im Hof), Tel. 63 84-80 00 Weitere Filialen: Nr. 848 Huangjincheng Lu, Tel. 62 75-17 98 sowie Nr. 258 Fengxian Lu, Tel. 62 15-75 66, www.jujubetree.com

Wer noch einen Schritt weiter in Richtung Heilküche gehen möchte, der bekommt im »Herbal Legend« (*Baicao
Chuanqi*) das zu seiner körperlichen Symptomatik und
Befindlichkeit passende Gericht serviert. Umgeben von
geschmackvoll eleganter Ausstattung, Schauobjekten aus
chinesischen Apotheken und einem aufmerksamen Service
kann man hier genießen und gleichzeitig seiner Gesundheit etwas Gutes tun.

In China hat man die Wirkung der Nahrung auf den Orga-
nismus schon früh erkannt. Über mehrere Jahrtausende
wurden diese Zusammenhänge systematisch beobachtet
und erforscht, und die TCM hat daraus eine Diätetik entwickelt, die den Nahrungsmitteln die thermischen Qualitä-
ten heiß, warm, neutral, kühl und kalt zuordnet und sie gemäß den Geschmacksrichtung süß, salzig, bitter, sauer und
scharf klassifiziert (auch wenn sie gar nicht unbedingt so
schmecken). Auf diese Weise können sie helfen, die durch
jahreszeitliche Extreme oder Krankheiten aus dem Gleich-
gewicht gebrachte körperliche Balance wiederherzustel-
len. Diese Prinzipien sind sowohl in die Heilkunde wie in
die Alltagsküche eingegangen.

Das »Herbal Legend« hat sich unter dem Motto »Lebe chinesischer, iss mit Kultur« das neu erwachte Gesundheits-
bewusstsein zunutze gemacht und verwöhnt seine Gäste
mit gesunden und gezielt heilkräftigen Speisen auf schöner
Keramik. Vor allem die mit unterschiedlichen Heilkräu-
tern und Wurzeln gekochten stärkenden Brühen sind zu
empfehlen.

Eine der Shanghaier Filialen liegt im restaurierten *shikumen*-Komplex Xintiandi (vgl. S. 106ff.) und gewinnt dadurch zusätzlich an traditionell chinesischem Flair. Im
kleinen Ladengeschäft nebenan kann man Tees, Heilkräu-
ter und Kosmetikartikel kaufen, denen – im Gegensatz zu
normalen Apotheken – auch englischsprachige Zuberei-
tungshinweise beigegeben sind.

→ Baicao Chuanqi, Unit 1B, House 1, South Block
Xintiandi, Lane 123 Xing Ye Lu, Tel. 63 86 68 17-8

Natürlich können Sie sich auch zu Hause mit wohlschmeckenden Gerichten fit machen für die Anforderungen und Anfechtungen der entsprechenden Jahreszeit. Die Mengenangaben sind für ein Gericht berechnet, das neben drei anderen für vier Personen serviert wird.

Frühling: Über den Winter hat der Körper durch schwere und relativ vitaminarme Nahrung zu viel Fett zu sich genommen, und es haben sich innere Hitze und Schleim angesammelt. Im Frühjahr sollte man sich daher durch viel frisches Blattgemüse, wie etwa Spinat, Stangensellerie und Chinakohl, entschlacken. Fleisch kann jetzt im Speisezettel zurücktreten, dafür sollte man die vegetarischen Gerichte mit Gewürzen wie frischem Ingwer oder getrockneter Mandarinenschale (erhältlich im Chinaladen und TCM-Apotheken) zubereiten. Sie helfen, überflüssige Feuchtigkeit aus dem Körper zu vertreiben. Ein ideales Frühjahrsgericht ist zum Beispiel das folgende:

Xianggu Qincai
Sellerie und Shiitake-Pilze

Als Beilage für 4 Personen:
50 g getrocknete Shiitake-Pilze
400 g frischer Staudensellerie
1 Schuss Essig
1–2 TL Speisestärke
1–2 EL Öl
Salz

Die Pilze mindestens 20 Minuten in lauwarmem Wasser einweichen. Den Sellerie putzen, die Fäden, falls nötig, abziehen
und die Stangen längs halbieren. In 2 cm lange Stifte schneiden. Die eingeweichten Pilze gut ausdrücken, in Streifen
schneiden und beiseitestellen. Den Essig mit der Stärke verrühren, eventuell noch einen kleinen Schuss kaltes Wasser
dazugeben und ebenfalls beiseitestellen. Das Öl in einer
Pfanne erhitzen, den Sellerie dazugeben und 2 bis 3 Minuten
pfannenrühren, mit Salz abschmecken. Die Pilze unterrühren
und mit der Speisestärke andicken.

Sommer: Im Sommer sollte man vermehrt kühle und kalte
Nahrungsmittel zu sich nehmen. Zu diesen zählen unter
anderem Bananen, Orangen und Zitronen, Kiwis, Papaya,
Avocado, Spargel und Kürbis, Tomaten, Salatgurken, Jo-
ghurt sowie Meeresalgen. Kalte Getränke im Sinne der
TCM sind: grüner Tee, Mineralwasser und – zum Glück
für uns Deutsche – auch das Bier.
Wegen ihres Eiweißreichtums und der leichten Verdau-
lichkeit werden Sojaprodukte und Fisch empfohlen, die
einen Ausgleich für die durch das Schwitzen verloren ge-
henden Stoffe schaffen. Man sollte die Speisen nur mild
würzen, und sie sollten fettarm sein, da im Sommer das
Herz und im Spätsommer Milz und Magen gestärkt werden sollen. Ein beliebtes Sommergericht:

Jisi Douya
Salat aus Mungosprossen und Hühnerstreifen

Für 2 Personen:
100 g frische Mungobohnensprossen (werden hierzulande oft
fälschlicherweise als Sojasprossen angeboten)
200 g Hähnchenbrust

Salz
1 kleines Stück Ingwer
1 Knoblauchzehe
1 EL Reisessig
2–3 EL Sesamöl
Zucker nach Geschmack

Die Mungobohnensprossen waschen. Die Hähnchenbrust in
kochendem Salzwasser einige Minuten pochieren, bis sie gar
ist. Herausnehmen, abkühlen lassen, in feine Streifen schneiden und beiseitestellen. Die Mungosprossen im selben Wasser kurz blanchieren, abtropfen und abkühlen lassen. Zum
Hähnchenfleisch geben. Ingwer und Knoblauch schälen und
klein schneiden. Essig und Öl miteinander vermischen und mit
Salz und Zucker abschmecken. Den Salat damit marinieren.

Herbst: Im Herbst muss man an die Stärkung des Körpers
für den bevorstehenden Winter denken. Dies geschieht
durch Nahrungsmittel mit nährenden und wärmenden Eigenschaften oder durch entsprechende Zusätze zu den
Speisen. Schlange und Hund gehörten traditionellerweise
zu diesen Herbstgerichten, stehen aber heute in der Regel
nicht mehr auf dem Speisezettel. Für unsere Essgewohnheiten ist Lammfleisch, vorzugsweise mit Knoblauch gekocht, wohl eher ein geeignetes Herbstessen. Fleischbrü-
hen und Hühnersuppen werden im Herbst die roten Beeren
des Bocksdorns (*fructus lycii*, hier in Apotheken oder im
Chinaladen erhältlich) zugesetzt. Mit dem Herbstanfang
darf auch das stärkende Tonikum Ginseng wieder eingenommen werden, das im Sommer wegen zu großer Hitze-
bildung verboten ist (Vorsicht bei hohem Blutdruck!).

Yangrou Dun Luobo
Eintopf mit Lammfleisch und weißem Rettich

Für 6 Personen:
1 kg Lammfleisch
500 g weißer Rettich
100 g Karotten
Öl
2 dünne Scheiben Ingwer
$1/8$ l Reiswein oder Sherry
etwas getrocknete Mandarinenschale
Salz

Das Fleisch in große Würfel schneiden. Den Rettich und die Karotten schälen und ebenfalls in Würfel schneiden. Das Öl in einer Pfanne oder einem Wok erhitzen, die Ingwerscheiben darin anbraten, bis sie duften. Das Lammfleisch hinzufügen und etwa 5 Minuten pfannenrühren. Mit Reiswein ablöschen. 100 ml kaltes Wasser angießen und 10 Minuten köcheln lassen. Die Fleischwürfel in einen Schmortopf geben, Karotten und Mandarinenschale hinzufügen, alles mit kaltem Wasser bedecken, aufkochen, salzen und zugedeckt bei kleiner Hitze 30 Minuten köcheln lassen. Die Rettichwürfel hinzufügen und weiterkochen, bis alles weich ist.
Vor dem Servieren Ingwer und Mandarinenschale herausnehmen.

Dieser kräftigende Eintopf stärkt Milz und Magen. Besonders zu empfehlen ist er für Lungenpatienten und dünne, kälteempfindliche Menschen. Er stärkt die Abwehrkräfte.

Winter: Im Winter gilt es, wärmende Nahrungsmittel zu sich zu nehmen. Diese mobilisieren die Abwehrkräfte und verhindern Kältezustände im Körper. Dazu gehören scharfe Gewürze (schwarzer Pfeffer, Curry, Zimt, Muskat und Knoblauch), außerdem Ingwer, Chili und hochprozentiger Alkohol, Früchte wie Aprikosen und Grapefruit, sowie die Gemüsesorten Fenchel, Paprika und weißer Rettich, Hammel und alle gegrillten Fleischgerichte.

Ein einfaches und wirksames Mittel bei beginnenden Erkältungen:

Jiangcha
Ingwertee

Kochen Sie mehrere Scheiben frischen Ingwer (zuvor gründlich abbürsten, damit auch die medizinisch wirksame Schale verwendet werden kann) mit ausreichend Wasser für mindestens 10 Minuten auf und fügen Sie dann nach Belieben braunen Zucker oder Honig hinzu. Wem der Ingwergeschmack nicht behagt, kann diesen Ingwersud auch mit schwarzem Tee trinken, der im Gegensatz zu unfermentiertem grünem Tee ebenfalls die Eigenschaft warm besitzt.

Heiß und in kleinen Schlucken getrunken heizt einem dieser Tee so richtig ein, und man kann die beginnende Erkältung ausschwitzen.

Mit einem Lied auf den Lippen –
Das Karaoke-Mittagessen

»Karaoke« stammt ursprünglich aus Japan und bedeutet »leeres Orchester«. Als Lehnwort hat es längst auch den Westen erobert, doch nirgends auf der Welt hat das Phänomen Karaoke so eingeschlagen wie in China. Das gemeinsame oder solistische Absingen von Songs und Schlagern zur Begleitung einer Musikmaschine vor dem Hintergrund eines Videoclips, der nötigenfalls auch Texthilfen gibt, ist zum nationalen Volkssport geworden. Kein Wunder, denn es vereint die beiden Lieblingsbeschäftigungen der Chinesen, gemeinschaftliches Singen und gemeinschaftliches Essen.

Vergegenwärtigt man sich die beengten Wohnverhältnisse

der meisten Großstadtbewohner, so wird der Erfolg dieses aus westlicher Sicht etwas sonderbaren Zeitvertreibs einsichtiger. Die Séparees, in denen man diesem neuen Volkssport nachgeht, bieten eine sonst kaum herstellbare Privatsphäre, und man darf dort hemmungslos laut sein.

Vor einem der heftigen mittäglichen Regengüsse flüchten wir in die »Partyworld« – eine der vielen Filialen dieser über ganz Shanghai verbreiteten Kette. Abgesehen von einer akuten Singhemmung beschleicht mich bei diesem Namen die Vorstellung eines etwas zwielichtigen Etablissements. Meine Kenntnis solcher Lokalitäten beschränkt sich auf die Oberinspektor-Chen-Krimis: Pflegt dessen Freund Gu, der Besitzer des »Dynasty Karaoke Clubs«, nicht Triadenkontakte? Arbeiten die dortigen K-Mädels wie Weiße Wolke nicht ziemlich spärlich bekleidet? Und was treiben die Kunden hinter den verschlossenen Türen? Doch weit gefehlt. Es ist heller Montagmittag: die preisgünstigste Karaoke-Zeit. Keine leicht bekleideten Mädchen sind in Sicht. In der Eingangshalle wartet eine ausgesprochen biedere Klientel auf freie Zimmer. Diese Gäste nehmen keinen Hostessen-Service in Anspruch; sie lassen nicht singen, sie singen selber, dazu sind sie ja hier. Und zum Essen, und zwar so viel sie können.

Für ein geringes Eintrittsgeld werden wir in eines der vielen Separées geführt, das wir nun zwei Stunden für uns haben. In die Türfüllungen sind kleine Fenster eingelassen. Beim Gang über den Flur bestätigen mir rasche Blicke nach rechts und links, dass wir in bester Gesellschaft sind: Hausfrauen in kleinen Grüppchen, kichernde Teenager, chinesische Geschäftsleute mit ihren Kunden. Der Raum ist mit schwarzen Kunststoffsofas, Couchtisch und einer Karaoke-Anlage mit großem Bildschirm ausgestattet. Der Kellner erklärt uns, wie wir aus dem umfangreichen Katalog Lieder aussuchen und sie einprogrammieren können. Aber zuerst wird natürlich gegessen. Das in einem zentralen Raum aufgebaute üppige Buffet aus diversen warmen Gerichten, Nachspeisen, Salaten, Suppen und nicht-alko-holischen Getränken ist im Preis inbegriffen und wird ständig neu aufgefüllt. Aus den sternförmig darauf zulau-fenden Fluren strömen die Gäste, packen sich ihre Tabletts voll und verschwinden wieder in ihre Zimmerchen.

Nachdem auch wir uns gestärkt haben, liefert Xiaolong pflichtschuldig sein Lied ab, einen romantischen Schlager aus den 80ern, den er erstaunlich sicher intoniert, während sich auf dem Bildschirm ein Liebespaar in schöner Natur ergeht und der mitlaufende Text bei eventuellen Lücken aushilft. Obwohl auch einige Beatles-Songs und westliche Evergreens im Angebot sind, enthalte ich mich lieber der Stimme.

Auffällig sind die vielen Revolutionslieder unter den ange-botenen Titeln. Da kann man Mao, die goldene Sonne, be-singen, im roten Osten die Sonne aufgehen lassen oder mit dem Lied »Blutgefärbte Größe« aus dem chinesisch-vietna-mesischen Grenzkonflikt von 1979 der aufopferungsvollen Volkshelden gedenken (ein Lied, das übrigens mit anderen politischen Vorzeichen auch 1989 von den Studenten auf dem Platz des Himmlischen Friedens gesungen wurde).

Bei einigen Stichproben stellen wir fest, dass heroischer Gesang und visuelle Videountermalung auf groteske Weise auseinanderklaffen. Während revolutionäre Helden-taten besungen werden, schweift die Kamera durch die üppigen Gärten einer kalifornischen Villa oder zeigt ein Model beim Rundgang durch eine mittelalterliche euro-päische Stadt. Nur im Falle eines antijapanischen Kampf-lieds stimmen Text und Bilder überein: Zu Szenen aus einem alten Schwarz-Weiß-Propagandafilm schmettert der freundliche Karaoke-Kunde des 21. Jahrhunderts »Wir schlagen den japanischen Teufeln die Köpfe ein!«.

Das Absingen solcher alter Kriegs- und Revolutionslieder

dürfte wohl kaum als politische Aussage zu verstehen sein. Für eine bestimmte Altersgruppe gibt es vielmehr nach Jahrzehnten des Krieges und der kommunistischen Gleichschaltung kein anderes gemeinsames Liedgut, auf das man sich beim geselligen Beisammensein verständigen könnte. In der Volksrepublik herrschte bis zur Öffnung in den 90er Jahren konsequentes Schlagerverbot und auch auf eine ältere Volksliedtradition konnte nicht zurückgegriffen werden, da sie unter Feudalismusverdacht stand. Also einigt sich die ältere Generation notgedrungen auf diese musikalische Altlast. Melodien und Texte sind denkbar simpel und wecken nostalgische Jugenderinnerungen. Weißt du noch damals, als wir alle jung waren und aufs Land verschickt wurden? Die Vergangenheit vergoldet und verklärt sich; insofern stellen die Videobilder aus einer besseren Welt letztlich gar keinen so großen Widerspruch mehr dar.

Ein jüngeres Publikum wird derartige Titel wohl kaum anklicken. Es hat im Studentenwohnheim heimlich Voice of America gehört, auf der Gitarre Beatles-Songs nachgeklimpert und huldigt mittlerweile landeseigenen oder taiwanischen Popstars, die sich ebenfalls alle im Programm befinden. Nostalgischer Bezugspunkt einer aufstrebenden Mittelschicht ist der chinesische Rock-Pionier Cui Jian, den sein Song »Ich habe nichts« (*Yi wu sou you*) 1986 auf einen Schlag berühmt und später zur Leitfigur auf dem Platz des Himmlischen Friedens machte. Bei seinen harten Gitarren-Riffs erinnern sich die Yuppies von heute gern daran, wie schön es war, nichts zu haben und jung zu sein.

Nach zwei Stunden treten wir frisch gestärkt auf die dampfende Straße hinaus. Der Regen hat aufgehört, und ich bin um eine Erfahrung reicher und um ein Vorurteil ärmer. Aber wer weiß schon, was zu später Stunde in der »Partyworld« abgeht.

關 的
於 附
薺 錄
菜

Exkurs über das Hirtentäschel

In Qiu Xiaolongs Krimis wird viel gegessen. Das stellt den
Wortschatz der Übersetzerin vor Probleme besonderer
Art. Zwar stehen bei mir im Regal die Kochbücher gleich
neben den Lexika, doch hier erweist einmal mehr das chinesische Sprichwort »Einmal sehen ist besser als hundert-
mal hören« seinen Wahrheitsgehalt. So musste ich zum
Beispiel erst nach Shanghai fliegen und mit dem Autor im
»Xinya« – einem alteingesessenen Lokal an der Nanjing
Lu – speisen, um mir vorstellen zu können, was es mit dem
mysteriösen Gericht »Fritierte Milch« auf sich hat. Aber
das ist erst die eine Hälfte der Lösung. Danach stellt sich
die übersetzerisch nicht minder relevante Frage: Wie sag
ich's meinem Leser? In seinem Gaumen soll ja bei der Lek-
türe eine möglichst authentische Empfindung simuliert
werden. Zum Glück hat sich der Tofu mittlerweile einen
festen Platz im deutschen Nahrungsmittelangebot erobert,
sodass man ihn als Übersetzer nicht länger in abschrecken-
den »Sojabohnenquark« verwandeln muss.

Vor ein weiteres übersetzerisches Problem stellte mich das »Hirtentäschel«, ein Gemüse, das in »Rote Ratten« im Einkaufsnetz von Tante Qiang, einer ehemaligen Nachbarin des Oberinspektors, liegt:

> Tante Qiang, eine kleine grauhaarige Frau von nebenan, beobachtete ungeniert, wie er aus dem Taxi stieg. Sie trug ein Netz, aus dem blühende Hirtentäschel hervorquollen, eine ländliche Delikatesse, von der er erstmals in einem Gedicht von Xin Qiji gelesen hatte. Sie machte einen Schritt auf ihn zu und sagte: »Ach du bist das, Kleiner …«
>
> Seit seiner Kindheit schien sich nichts verändert zu haben, jedenfalls nicht die frischen, üppig blühenden Kräuter in ihrem Netz, aber die alten Nachbarn hielten es offenbar nicht mehr für angebracht, ihn mit seinem Kindernamen anzureden.

Xiaolong verwendet im englischen Original den Ausdruck »Shephard's Purse«. Wörtlich übersetzt würde daraus das »Hirtentäschel«, das auch bei uns als wenig beachtetes Unkraut am Wegrand und auf offenen Böden wächst. Als Kinder haben wir es nur deshalb gepflückt, um die wie kleine Täschchen geformten Samenstände an ihren Stielen vorsichtig nach unten zu ziehen, sodass sie lose hingen und beim Schütteln klapperten. Auf die Idee, dass es essbar sein könnte, bin ich nie gekommen. Und da man als Übersetzer ein gesundes Misstrauen gegenüber sogenannten »falschen Freunden« haben sollte, zweifelte ich natürlich daran, dass Xiaolongs literarisch geadelte »Delikatesse« und das klappernde Unkraut meiner Kindheit ein und dasselbe sind.

Ich fragte also nach und bat um den chinesischen bzw. botanischen Namen. Und da »mein« Autor – ein Idealfall für den Übersetzer – auf solche lästigen Fragen immer prompt und zuverlässig antwortet, klärte sich die Identität des rätselhaften Kräutleins weiter auf. *Capsella bursa pastoris*, so belehrte mich der Brockhaus, ist ein auf der ganzen Welt ver-

breiteter Kreuzblütler und wurde auch im Westen als Heil-
kraut vor allem wegen seiner blutstillenden Eigenschaften
geschätzt. Bereits Hildegard von Bingen hat ihn unter dem
Namen Blutwurz oder *sanguinaria* bei Frauenleiden eingesetzt. Im chinesischen Web fand ich dann unter *jicai* gleich
eine ganze Fülle von Informationen zur medizinischen und
kulinarischen Bedeutung der Pflanze. Sie wird (Wurzel,
Blüte und Samenstände) in der Traditionellen Chinesischen
Medizin der Geschmacksrichtung süß zugeordnet und als
kühlend klassifiziert. Sie spricht die Funktionskreise von
Leber, Milz und Magen an, harmonisiert die Milz, stoppt
Blutungen, klärt die Augen und wirkt entwässernd. Auch
gegen hohen Blutdruck wird sie eingesetzt. Vor allem aber
werden ihre grünen, gezackten Blätter als vitamin- und mi-
neralstoffreiches Frühlingsgemüse geschätzt. Man verwendet es – vor allem im Süden – in Suppen, gebraten, blan-
chiert oder als Füllung in Teigtäschchen.
Offenbar scheint die unscheinbare Pflanze für Chinesen
auch einen hohen emotionalen Wert zu besitzen. Da sie
eines der ersten essbaren Kräuter des Frühjahrs ist, ging
sie als Frühlingsbote in die Literatur ein. Und vielen Auslandschinesen läuft bei Erwähnung von *jicai* nicht nur das
Wasser im Mund zusammen, sondern auch eine Träne des
Heimwehs über die Wange.
Als ich meine interessanten Funde nach St. Louis meldete,
kam umgehend eine Mail zurück, die mir die Jahrtausende
umspannende literarische Dimension dieses Krauts eröffnete. Es wird bereits im *Shijing*, dem »Buch der Lieder«,
Chinas ältester Lyriksammlung, besungen, und in den er-
wähnten Zeilen des Song-Dichters Xin Qiji (1140–1207)
heißt es: »In der Stadt frösteln Pfirsich und Pflaume noch
in Wind und Regen, / doch auf dem Land künden Hirten-
täschelblüten bereits vom Frühling.«
Zudem berichtete mir Xiaolong, wie seine Schwiegermut-
ter einmal von einem Spaziergang in St. Louis unerwartet

mit am Wegrand gepflücktem frischem Hirtentäschel heim-
kehrte und daraus für die Familie ein ebenso köstliches, wie
erinnerungsträchtiges Mahl zubereitete. Die amerikanischen Nachbarn, denen Xiaolong den Fund zeigte, kannten
die Pflanze nicht. Dieses Erlebnis hat ihn zu folgendem Gedicht inspiriert:

Hirtentäschelblüte

»Wann kommst du zurück?«
Das Blitzen des Nachmittagslichts
auf den Schwingen dreier Eichelhäher.
Ich blicke aus dem Fenster:
Der Teich steht hoch
vom Regen der vergangenen Nacht. Frühling
zeigt sich diesmal spät
in den Blüten der Hirtentäschel. Seine Blätter
können so üppig sein, und doch
nimmt keiner meiner amerikanischen Nachbarn
sie wahr, *jicai* auf Chinesisch.
In den Zeilen des Dichters Wei Zhang
entdeckten wir ein Rezept:
»Er fand sich aufs Köstlichste vereint
mit den grünlichen Blüten
auf ihrer Zunge,
während das Mondlicht durch den
Tränentropfen-Bambus züngelte
und sich in ihre Münder stahl.« Doch mir
ist solches nicht vergönnt. Keine Zeit.
Eine Liebesgeschichte
für meine Dissertation muss dekonstruiert werden,
und Lily möchte, dass ich den Scheibenwischer
reparieren lasse.
        8000 Meilen entfernt
tropft der Morgenregen wieder einmal
durch dein morsches Dach.

Die literarische Anspielung in diesem Text führt uns zurück ins frühe 10. Jahrhundert, und mir fiel plötzlich ein, dass ich mit diesem erotisch-sprachlichen Kunststück schon einmal meine übersetzerischen Probleme hatte, nämlich in Oberinspektor Chens zweitem Fall, der »Frau mit dem roten Herzen«. Dort fährt Chen mit seiner amerikanischen Kollegin Catherine, für die er eindeutig mehr empfindet als kollegiales Interesse, über Land. Sie, die ehemals Sinologie studiert hat und dem dichtenden Polizeibeamten in Sachen chinesischer Klassik durchaus gewachsen ist, erweist sich als wesentlich sachkundiger als Qiu Xiaolongs ignorante Nachbarn:

Als sie an einem kleinen, üppig grünen Feld vorbeikamen, rief sie aus: »Jicai! Jetzt kommt auch hier der Frühling!«

»Wie bitte?«

»Jicai. Bei uns nennt man es Hirtentäschchen. Keine Ahnung, wie die Pflanze diesen Namen bekam, wo sie doch so gut schmeckt.«

»Das ist ja interessant. Sie sind also auch Botanikerin.«

»Nein, bin ich nicht. Aber ich habe mal versucht, ein Gedicht aus der Song-Dynastie zu übersetzen, in dem der Dichter sich delikaterweise zusammen mit diesen grünlichen Blüten auf der Zunge seiner Geliebten wiederfindet.«

»Wie schade, dass wir heute keine Zeit haben, welche zu pflücken.«

Schon damals hatte ich mich beim Übersetzen gefragt, wie man sich das vorzustellen hat – eine Art Zungenkuss mit Gemüsebeilage?

In diesem Fall hatte sich das Hirtentäschel also nicht als falscher, sondern als guter Freund erwiesen, das Klapperkraut meiner Kindheit und Xiaolongs *jicai* sind tatsächlich ein und dieselbe Pflanze. Doch welche kulturellen, kulinarischen, medizinischen, ja sogar erotischen Bedeutungswelten liegen zwischen ihnen! Der Übersetzer muss sprachliche Brücke von der einen zur anderen schlagen. Manchmal lohnt es sich, die Untiefen, die dabei überbrückt werden, genauer auszuloten.

In Shanghai wird *jicai* auf dem Markt sowohl als Wildpflanze wie auch in einer angebauten Varietät (größer aber weniger inhaltsreich) angeboten. Hier ist das rasch welkende Kraut leider nicht im Handel erhältlich. Falls Sie nun auf den Geschmack gekommen sind und sich im Frühling in freier Natur auf die Suche nach diesem inhaltsreichen Wildgemüse machen wollen, hier zwei Rezepte:

Jicai Ban Doufu
Jicai und Tofu kalt angemacht

Als Beilage für 4 Personen:
100 g Tofu
250 g Hirtentäschel
Salz
Sesamöl
etwas gehackter frischer Ingwer

Den Tofu in etwa 1 cm große Würfel schneiden, in eine Schale geben und mit kochendem Wasser übergießen, kurz stehen lassen und in ein Sieb abgießen. Das Gemüse gründlich waschen, ebenfalls kurz blanchieren, kalt abschrecken und anschließend fein hacken. Auf die Tofuwürfel geben und mit Salz, Sesamöl und Ingwer abschmecken.

Jicai Chao Roupian
Hirtentäschel mit gebratenem Schweinefilet

Für 2 Personen:
4–5 getrocknete Shiitake-Pilze
75 g frisches Hirtentäschel
150 g Schweinefilet oder anderes zartes Schweinefleisch
Salz
2 EL Reiswein oder Sherry
2 TL Speisestärke
1 Eiweiß
50 g Bambussprossen (aus der Dose)
1 Tasse Fleischbrühe
1–2 EL Öl
1 EL gehackte Frühlingszwiebeln
Sesamöl

Die Shiitake-Pilze 20 Minuten in lauwarmem Wasser einweichen. Das Gemüse gut waschen, kurz blanchieren, kalt abschrecken, abtropfen lassen und fein hacken. Das Fleisch in hauchdünne Scheiben schneiden, mit Salz, 1 EL Reiswein, 1 TL Speisestärke und dem Eiweiß vermengen und beiseitestellen. Bambussprossen abtropfen lassen, die eingeweichten Shiitake-Pilze gut ausdrücken und beides in Streifen schneiden. Aus 1 EL Reiswein, Salz, 1 TL Speisestärke und der Brühe eine Marinade rühren. Etwas Öl in einer Pfanne oder einem Wok erhitzen und die Fleischscheiben unter ständigem Rühren kurz anbraten und wieder herausnehmen. Erneut etwas Öl erhitzen und Bambussprossen, Pilze und Frühlingszwiebeln anbraten, dann das Fleisch und das Hirtentäschel dazugeben. Mit der Marinade begießen und unter Rühren weiterbraten, bis alle Zutaten gar sind. Mit Sesamöl beträufeln und servieren.

新老上海菜

Shanghai-Küche alt und neu

Um die Ursprünge der Shanghaier Küche zu ergründen, muss man auf die Geschichte dieser Stadt zurückblicken. Shanghai war nicht immer die bedeutende Weltstadt, zu der es sich an der Wende zum 20. Jahrhundert entwickelt hatte. Nach dem Opiumkrieg wurde China von den westlichen Mächten die Öffnung aufgezwungen, und in der Folge lagerten sich deren ausländische Konzessionen an den alten Stadtkern an. Die »alten Shanghaier« waren vorwiegend arme Bauern und Fischer, die froh waren, wenn sie satt wurden, und die nicht davon träumen konnten, einen eigenen Kochstil zu kreieren. Ihr einziger Luxus war das Neujahrsfest, wo sie den Jahreswechsel mit »fettem Fleisch, großem Fisch, viel Öl und dunkler Soße« feierten. Diese vier Zutaten bestimmten auch die Speisen, die in den kleinen Restaurants angeboten wurden. Dort gab es Gerichte wie »Schweineinnereien mit fermentiertem Getreide«, das vorwiegend aus dem bestand, was beim Schlachten übrig blieb, und dann mit fermentiertem Getreide – ebenfalls ein Abfallprodukt, nämlich vom Schnapsbrennen – zusammen gekocht wurde; »Hühnerknochen in Sojasoße« und »fritierte Schweineinnereien mit Klee«. Die bescheidenen Namen der Gerichte sprechen für sich. Diese ursprüngliche Shanghaier Küche wird noch heute als *ben-bang* oder Lokalküche bezeichnet.

Doch bald strömten, dank der raschen Entwicklung der Stadt, Menschen aus allen Provinzen Chinas in das einstige Fischerdorf am Huangpu, unter ihnen auch Geschäftsleute und Unternehmer, die ihre heimischen Kochtraditionen mitbrachten. Diese standen in einem wesentlich besseren Ruf. Verglichen mit der Guangdong-, Sichuan- oder Shandong-Küche, galt die Shanghaier Küche als zu schlicht und bäuerlich. Es fehlte die nötige Verfeinerung und Raffinesse, um zu den acht Hauptküchen Chinas gezählt zu werden. Lange Zeit kam sie nur in wenigen, eher schäbigen Lokalen der Stadt auf den Tisch, deren Kundschaft sich nichts Besseres leisten konnte. Wenn sich zahlungskräftigere Gäste dorthin verirrten, dann nur der Abwechslung und des ungewohnten Gaumenkitzels wegen.

Ich machte die Bekanntschaft dieser Lokalküche in einem völlig anderen Zusammenhang. Im offiziellen Politjargon der chinesischen Presse nannte man die Jahre Ende der 1950er, Anfang der 1960er »die drei Jahre der Naturkatastrophen«. Auf diese Weise verschwieg man elegant, dass damals Millionen von Menschen infolge von Maos »Großem Sprung nach vorn« verhungerten. Alles Land war enteignet und in Volkskommunen zusammengefasst worden; die Bauern wurden mit Kommunepunkten entlohnt und aßen in der Kommuneküche – jeder nach seinen Bedürfnissen, jeder nach seinen Fähigkeiten. In den Städten rief Mao zur Stahl- und Eisenproduktion in improvisierten

Schmelzöfen auf, die die Erträge aus amerikanischer und britischer Produktion in den Schatten stellen sollte. Ich weiß noch, dass ich – damals ein kleiner Junge – verwundert zuschaute, wie unser eisernes Balkongeländer abmontiert und durch ein hölzernes ersetzt wurde.

Auch unser Geländer konnte nicht verhindern, dass die Volkswirtschaft zusammenbrach. Ich war noch zu klein, um das zu verstehen, aber nicht zu klein, um schrecklich hungrig zu sein. Der Hunger belagerte Shanghai. Die Familien versuchten verzweifelt, mit den monatlichen Zuteilungen zurechtzukommen; sie bestanden aus einem halben Dutzend Eier, einem Pfund Schweinefleisch und Sojaprodukten im Wert von umgerechnet 20 Cent. Aus den geflüsterten Gesprächen meiner Eltern erfuhr ich, dass einer unserer Verwandten in Ningbo verhungert war. Dort aßen die Menschen Wildkräuter, Zikaden, Ratten und Baumrinde. In ihrer Verzweiflung griffen sie zu allem, was nur im Entferntesten essbar zu sein schien. Dazu gehörte auch eine bestimmte braune Erde – *guanyintu*, benannt nach der Göttin der Barmherzigkeit –, die als essbar galt oder zumindest kurzzeitig das Hungergefühl dämpfte. Unser Verwandter war mit einem Bauch voll Erde gestorben, die sich in seinem Inneren unbarmherzig in einen steinharten Klumpen verwandelt hatte.

Doch in der Stadt konnten meine Eltern nicht einmal *guanyintu* auftreiben, während ich beständig über meinen Hunger klagte, der mir »den Bauch am Rücken festkleben ließ«. Bei immer kleiner werdenden Zuteilungen musste meine Mutter nun schon die Öltropfen für die Suppe abzählen.

Die einzige Möglichkeit, an Nahrungsmittel zu kommen, war der Schwarzmarkt, wo ein Huhn den gesamten Monatslohn eines Arbeiters kostete. Da der Markt regelmäßig von Polizeirazzien heimgesucht wurde, war es ausgeschlossen, dass mein Vater, dem bereits der Makel eines »Kapitalisten« anhing, dort hinging. Es gab jedoch einige staatseigene Restaurants, in denen man zu Schwarzmarkt-preisen essen konnte. Warum die Stadtregierung dies zu-ließ, ist mir noch heute ein Rätsel.

Eines Abends nahm mein Vater meine Schwester und mich mit in das »Alte Restaurant«, ein schäbiges Lokal unweit des Stadtgott-Tempels, wo nach Aussagen meines Vaters traditionelle Shanghaier Küche serviert wurde. Ich habe vergessen, was ich an jenem Abend gegessen habe, ich »schlang wie ein Wolf und schluckte wie ein Tiger«. Am Ende des Mahls, als ich die blank geleckten Schüsseln vor uns auf der groben Tischplatte stehen sah, fiel mir plötz-lich ein, dass am Tag zuvor der aufwendig geschnitzte Ma-hagoni-Tisch – Teil der Aussteuer meiner Mutter – aus un-serem Wohnzimmer verschwunden war. In der Folgezeit führte uns mein Vater einmal im Monat ins »Alte Restau-rant« aus. Ich habe keine Erinnerung mehr an die dort ser-vierten Gerichte – an langsames genussvolles Essen war damals nicht zu denken –, aber an das qualvolle Warten davor und das nicht minder qualvolle Völlegefühl danach erinnere ich mich sehr wohl. Zu meinem Bedauern hielt Letzteres nur eine Nacht vor.

Einmal jedoch hatten wir Ente, das weiß ich noch. Es war eine Acht-Kostbarkeiten-Ente mit einer Füllung aus acht Zutaten: Datteln, Erdnüsse, Lotussamen, Maronen und vier andere. Die Ente jenes Abends aber war, so befand mein Vater, zu klein ausgefallen und, obgleich sie einen prallen Bauch vorzuweisen hatte, mit zu viel Klebreis an-statt der wertvolleren Zutaten gefüllt. Einen absurden Moment lang verglich ich den Bauch der Ente mit meinem eigenen und dem meines verstorbenen Verwandten aus Ningbo.

Erst Jahre später, nachdem längst alle Mahagoni-Möbel meiner Mutter aus dem Wohnzimmer verschwunden wa-ren, verstand ich, warum Vater jenes Lokal aussuchte, um einmal im Monat unsere leeren Bäuche zu füllen. Zum ei-

nen war es noch vergleichsweise billig, wenngleich der Er-
lös aus dem Verkauf eines Mahagoni-Tischs kaum für eine
Mahlzeit reichte. Wir gingen vor allem deshalb hin, weil
die alte Shanghai-Küche wirklich sättigend ist.

Nach meiner Rückkehr Mitte der 1990er Jahre besuchte ich
noch einmal das Restaurant meiner Kindertage. Aber wie
ein chinesisches Sprichwort sagt, kann man nicht zweimal
in denselben Fluss steigen. Jene Alt-Shanghaier Restaurants haben sich verändert. Viele von ihnen sind in bessere
Gegenden umgezogen oder haben sich, im Einklang mit
dem Wandel des Stadtbilds, eine neue Fassade zugelegt.
Alle meine Versuche, die Gerichte von damals wiederzufin-
den, waren vergeblich; keines schmeckte wie früher. Auch
waren die Charakteristika jener Zeit, fettes Fleisch, großer
Fisch, viel Öl und dunkle Soße, völlig außer Mode gekommen. Meine Frau riet mir vehement davon ab, Schweineinnereien mit fermentiertem Getreide und dergleichen zu
bestellen. Es sei besser für mich und meinen Cholesterin-
spiegel, so insistierte sie, die Stäbchen von der alten
Shanghai-Küche zu lassen.

Babao Ya
Acht-Kostbarkeiten-Ente

Ein Rezept, das sich für größere Gesellschaften von 8–10 Personen eignet und eine echte Alternative zur wesentlich schwie-
riger herzustellenden Pekingente ist.

6 getrocknete Shiitake-Pilze
6 EL Klebreis (*nuomi*, im Asienladen, ersatzweise Milchreis)
3 EL Graupen
3 EL Lotussamen (getrocknet; aus dem Asienladen)

3 EL Ginkonüsse (getrocknet; aus dem Asienladen)
4–6 geschälte Maronen (vorgegart, im Supermarkt erhältlich)
4 EL Bambussprossen (aus der Dose)
4 EL gebratenes Schweinefleisch, in feine Streifen geschnitten
3 EL geräucherter Schinkenspeck, fein geschnitten
6 EL Sojasoße
1 TL Salz
6 EL Reiswein oder Sherry
1 Ente (2–2,5 kg)
3 Frühlingszwiebeln, in 5 cm langen Streifen
2 Scheiben frischer Ingwer, fein gehackt
1/2 l Fleischbrühe
1 TL Zucker

Die Pilze 20 Minuten in lauwarmem Wasser einweichen, dann die Stiele entfernen. Klebreis und Graupen 5 Minuten in reichlich Wasser kochen, in ein Sieb abgießen und unter fließend kaltem Wasser spülen, dann abtropfen lassen. Lotussamen und Ginkonüsse ebenfalls einweichen, Maronen und Bambussprossen abtropfen lassen und in kleine Würfel schneiden.

Pilze, Reis, Graupen, Maronen, Lotussamen, Ginkonüsse, Schweinefleisch, Schinkenspeck und Bambussprossen in einer Schüssel vermischen. 3 EL Sojasoße, 1/2 TL Salz und 3 EL Reiswein oder Sherry hinzufügen und alles gründlich verrühren. Die Ente innen und außen waschen, trocken tupfen und mit der Mischung füllen. Die Öffnung zunähen.

Die Ente in einen schweren Schmortopf legen und Frühlingszwiebeln und Ingwer dazugeben. Mit der Brühe und der restlichen Sojasoße aufgießen, salzen, mit dem restlichen Reiswein beträufeln und kurz aufkochen. Die Ente zugedeckt 1 Stunde auf kleiner Hitze langsam köcheln lassen, dabei mehrmals wenden.

Zuletzt den Zucker über die Ente streuen und, falls die Ente zu trocken geworden ist, mit etwas Wasser beträufeln und 1 weitere Stunde köcheln lassen.

Zum Servieren holt man die Füllung heraus, verteilt sie auf ei-
ner großen vorgewärmten Platte und richtet die tranchierten
Ententeile darauf an. Sie sollten so zart sein, dass man sie mit
Essstäbchen zerteilen kann.

In den letzten Jahren hat sich eine neue Shanghai-Küche,
oder besser gesagt »Cuisine« herausgebildet, die nichts
mehr gemein hat mit den Traditionen des *benbang*. Und natürlich spiegelt auch sie die rasanten Entwicklungen der
Stadt wider, ihr Zauberwort heißt »fusion«.

Traditionellerweise war ein Restaurant in Shanghai für
seine spezifische Regionalküche bekannt und hatte ausschließlich Gerichte auf der Karte, die typisch für diese Region waren. So fand man Rindfleisch mit Austernsoße und
fritierte Milch nur in einem Kanton-Restaurant, den scharfen Ma Po Tofu nur im Sichuan-Restaurant, lebend in Wein
gekochte Krabben und Froschschenkel-Suppe mit Salz-
gemüse nur in einem Ningbo-Lokal und Löwenköpfe mit
extradünnen Tofu-Streifen ausschließlich in einem Yang-
zhou-Lokal. Die Gourmets alter Schule bevorzugten eine
dieser kulinarischen Richtungen oder erwarteten doch immerhin, bei einer Mahlzeit nur Spezialitäten aus einer bestimmten Region vorgesetzt zu bekommen. Ganz anders
die jungen Leute im Zeitalter der Globalisierung. Sie
schätzen es, während eines Essens die unterschiedlichsten
Geschmacksrichtungen zu kosten. Das ist nichts weniger
als eine Revolution.

Während die alteingesessenen Restaurants widerwillig
einige Gerichte ins Angebot nahmen, die nicht zu ihrer er-
klärten kulinarischen Schule gehörten, sind mittlerweile
eine Reihe von neuen Restaurants entstanden, die sich
ganz dieser neuen Shanghai-Küche widmen. Ihre Speisekarte umfasst hemmungslos alle erdenklichen chinesischen Regionalküchen und wird zusätzlich bereichert
durch einige Spezialitäten der alten Shanghai-Küche. Das

hat in einer Einwandererstadt wie Shanghai seine ironische Logik: Menschen aus allen Teilen des Landes ziehen hierher und werden in Shanghai eingebürgert. Warum nicht auch ihre Gerichte?

Doch das ist leichter gesagt als getan, denn schließlich funktioniert die Sache nur, wenn der kollektive Gaumen der Stadt diese Fusion akzeptiert. Um dies zu erleichtern, wurden die Charakteristika der einzelnen Regionalküchen leicht modifiziert. Ein echtes Sichuan-Gericht treibt einem mit seiner Schärfe die Tränen in die Augen. Das ist zu viel für den durchschnittlichen Shanghaier, und er wird das Gericht etwas »entschärfen«. Dementsprechend spart er bei einem Ningbo-Gericht am Salz und so fort.

Um ihre Shanghaier Authentizität unter Beweis zu stellen oder sie im Zweifelsfall zu erfinden, wird von Restaurants häufig mit dem Begriff *shikumen* geworben, ein für die Stadt typischer Architekturstil vornehmlich der ausländischen Konzessionen in den ersten Dekaden des 20. Jahrhunderts. Ursprünglich war ein *shikumen* ein dreistöckiges Haus mit einem in Stein gefassten Eingangstor, das um einen kleinen Innenhof gebaut war und dessen Eingangshalle in einen West- und einen Ostflügel mündete. Die einzelnen Räume waren für die unterschiedlichen Bedürfnisse einer einzigen wohlhabenden Familie konzipiert, doch später wurden die Häuser vielfach zu Massenunterkünften umfunktioniert. Hinter der architektonischen Wiederentdeckung des *shikumen* für gastronomische Zwecke steht der Anspruch, dass es bei Muttern am besten schmeckt.

Ein solches *shikumen*-Restaurant ist das »Xin Jishi« im Xintiandi-Komplex, dem »Neuen Himmel-und-Erde«, ein von einem Hongkonger Geschäftsmann saniertes Ensemble alter *shikumen*-Häuser im Stadtteil Luwan, wo sich trendige Restaurants und Boutiquen eingemietet haben. Ein Shanghaier Freund lud mich dorthin ein. Der Besitzer hat sich alle Mühe gegeben, die Atmosphäre des Gebäudes

zu erhalten; der ursprüngliche Grundriss wurde beibehalten, und die Inneneinrichtung entspricht der damaligen
Zeit. Die dunkle Holzvertäfelung, der antike Flügel, die
Ölgemälde an den Wänden, bis hin zur Nelke in der Kris-
tallvase und dem Tafelsilber sind stilecht. Man fühlt sich in
die 1930er Jahre zurückversetzt. Die Zeitläufte, die seither
über China hinweggegangen sind, erscheinen wie ein Soja-
soßenfleck, der von einer hübschen Bedienung problemlos
mit der rosa Serviette weggewischt werden kann.

Der Restaurantbesuch hatte seine angenehmen Überraschungen. Eine davon war eine Portion leuchtend roter
Datteln, gefüllt mit Klebreis; nicht nur süß, sondern auch
mit einem unübersehbar erotischen Beigeschmack mit dem
delikaten Farbkontrast von weichem weißem Reis und
scharlachroter Dattelhaut. Man fühlt sich bei diesem Wun-
derwerk an die subtile Imagination des Romans »Traum
der Roten Kammer« erinnert. Mein Freund belehrte mich,
dass das Gericht nach einem populären Schlager »Ein zu
weiches Herz« genannt wird.

Eine andere angenehme Überraschung war »Omas
Schweinefleisch«, das in einem irdenen Schmortopf serviert wurde und das appetitanregende Braun von Sojasoße
hatte. Auch hier gemahnte der Name an vergangene Zeiten; diesmal die aromatische Hausmacherküche aus Groß-
mutters Tagen. Die durchwachsenen Schweinefleischwür-
fel waren angebraten und dann so lange in Sojasoße und
Reiswein geschmort worden, dass sie auf der Zunge zer-
gingen. Die Fusion der neuen Shanghai-Küche kann also
durchaus originell und schmackhaft sein, auch wenn einge-
fleischte Shanghaier Gourmets wie der Oberinspektor sagen: »Wenn sie alles sein will, dann ist sie am Ende nichts.«

Hongshao Rou
Omas rotgeschmorte Schweinefleischwürfel

Als Gericht neben anderen für ca. 6 Personen:

1 kg durchwachsener Schweinebauch mit Schwarte
2 Frühlingszwiebeln
1/2 TL Salz
5 EL Sojasoße
4 EL Reiswein oder Sherry
2 Scheiben frischer Ingwer, fein gehackt
1 TL Zucker

Das Schweinefleisch in 5 bis 7 cm große Würfel schneiden, dabei darauf achten, dass jedes Stück Schwarte hat und gleichmäßig mit Fett durchwachsen ist. Die Frühlingszwiebeln putzen, waschen und in 3 cm lange Streifen schneiden. Die Fleischwürfel mit Salz und 2 EL Sojasoße einreiben, dann mit der Schwarte nach unten in einen Bräter setzen. 6 EL Wasser und die Hälfte des Reisweins dazugeben, mit Ingwer und Frühlingszwiebeln bestreuen.

Die Fleischstücke zum Kochen bringen, die Hitze reduzieren und 45 Minuten köcheln lassen, zwischendurch einmal wenden. Weitere 6 EL Wasser dazugeben und das Fleisch mit der restlichen Sojasoße und dem Zucker würzen. Dann 1 weitere Stunde zugedeckt bei kleiner Hitze kochen lassen. Die Fleischstücke alle 20 Minuten wenden.

Nach insgesamt etwa 2 Stunden Garzeit sind die Stücke butterweich und werden mit der Schwarte nach oben auf einer Platte angerichtet und mit der eingekochten braunen Soße übergossen.

Der Xintiandi-Komplex beherbergt auch ein *shikumen*-Museum, ein originalgetreu eingerichtes Haus, in dem man sich über die architektonischen Merkmale dieser für Shanghai typischen Architektur informieren kann. (No. 25, Lane 181, Taicang Lu, tägl. geöffnet von 10–22 Uhr)

→ Xin Jishi, No. 2, Lane 181 Taicang Lu, Tel. 63 36 84 74, Reservierung empfohlen.

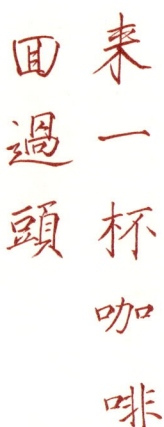

Und zum Schluss – eine Tasse Kaffee

Shanghai liegt im Kernland der chinesischen Teeproduktion, zu dem man die Provinzen Zhejiang und Jiangsu zählt. Nach wie vor gibt es in der Stadt viele Teehäuser mit der ihnen eigenen Beschaulichkeit, auch wenn der Alte Jäger – in Qiu Xiaolongs Krimis der Gewährsmann der älteren Generation – deren unaufhaltsame Modernisierung und das Verschwinden der früher dort gepflegten Theater- und Musikdarbietungen beklagt:

> Das »Mondbrise« war eines der neuen Teehäuser. Tee schien bei den Shanghaiern allmählich wieder in Mode zu kommen. Chen sah junge Leute mit kennerhaften Gesten, die sie sich aus den neuesten Filmen abgeschaut hatten, aus ihren Schalen schlürfen. Dann entdeckte er den Alten Jäger in seiner Ecke. Statt Musik im traditionellen südlichen Stil, die sonst in Teehäusern erklang, vernahm er Walzertakte im Hintergrund, die Wellen

der »Blauen Donau« schwappten durch den Raum. Das war ganz offensichtlich ein Platz für die junge Klientel, die nicht auf Starbucks stand und einen ruhigen Ort zum Reden suchte. Am Nachbartisch war eine Mahjongg-Partie in vollem Gange, wobei Mitspieler wie Zuschauer lauthals kommentierten und fluchten.

»Ich war noch nie hier. Es ist so anders als in dem Teehaus am Stadtgott-Tempel«, begrüßte ihn der Alte Jäger etwas enttäuscht.[*]

Im »Huxinting« – dem »Teehaus im Herzen des Sees« beim Stadtgott-Tempel – ist die Welt dagegen noch in Ordnung und wer einmal dort war, versteht die Enttäuschung des Alten Jägers. Man erreicht es über eine Zickzackbrücke, die die bösen Geister abhalten soll, die bekanntlich nicht um Ecken gehen können. Erstaunlicherweise scheint das auch auf Touristen zuzutreffen. Sie versammeln sich zwar zahlreich auf der Brücke zum Fototermin, dringen aber selten bis ins Teehaus vor. Man kann deshalb nach einem Rundgang über den Tempelmarkt oder durch den nahe gelegenen Yu-Garten (yuyuan) dort eine Pause einlegen; entweder im einfacheren Erdgeschoss oder im feineren ersten Stock, wo man aus den Fensternischen einen wunderbaren Blick auf den von Entengrütze begrünten See hat. Dort wird Tee im alten Stil in kleinen Kannen serviert, in die man sich heißes Wasser nachschenken lassen kann. Dazu werden Beilagen wie süßsaure Pflaumen, Oliven, Nüsse oder Süßigkeiten angeboten.

Bei der Wahl der Teeblätter entscheidet man sich am besten für einen kräftigen Oolong (wulong cha) oder den zarten Drachenbrunnentee (longjing cha). Letzterer ist der Lieblingstee des Oberinspektors, feinblättriger grüner Tee aus der Gegend von Hangzhou, dessen neue Ernte unter

---

[*] Qiu Xiaolong, Die Frau mit dem roten Herzen. Ein Fall für Oberinspektor Chen. Wien 2004, S. 81 ff.

Kennern alljährlich begrüßt wird wie bei uns der neue Beaujolais.

Als Liebhaber grüner oder halbfermentierter Tees lebt man in Deutschland in der Diaspora und sollte einen Aufenthalt in Shanghai unbedingt dazu nutzen, neue Sorten kennenzulernen und seine Teevorräte aufzustocken. Dazu findet der Besucher in allen Stadtteilen und großen Einkaufsstraßen gut sortierte Fachgeschäfte, in denen auch probiert werden kann. Das Paradies für Teetrinker ist allerdings die »Teestadt« (»Tianshan Chacheng«). Der aus mehreren Häusern bestehende Komplex beherbergt die Verkaufsstände unzähliger Fachhändler, die vom einfachen Schwarztee, der in China roter Tee (*hong cha*) heißt, über lange gelagerten Pu-er bis zu den erlesensten Oolong-Sorten (*wulong*) alles vorrätig haben. Hier kaufen Restaurantbesitzer und Großhändler ein, doch auch für Kunden mit kleinerem Bedarf nimmt man sich Zeit. Auf Wunsch bekommt man die Teeblätter in kleinen Mengen eingeschweißt, sodass sie lange frisch bleiben. Unfermentierte Sorten wie Drachenbrunnentee (*longjing cha*) halten sich am besten im Kühlschrank oder in der Tiefkühltruhe, andere Tees sind in solchen verschweißten Packungen auch unter normalen Temperaturbedingungen ziemlich lange lagerfähig.

Es ist ein Genuss für Augen und Nase und Gaumen, sich dort zu ergehen und die unterschiedlichen Tees, Verpackungen und Gegenstände der Teezeremonie, die ebenfalls angeboten werden, zu studieren.

→ Tianshan Chacheng, Shanghai, Changning Bezirk, No. 520 Zhongshan Xilu

Dennoch braut sich Inspektor Chen, wenn's ernst wird, einen starken Kaffee – vorzugsweise aus echten Bohnen – und führt seine amerikanische Kollegin Catherine in Shanghais einschlägige Caféhäuser aus. Und diese sind im

Gegensatz zu anderen chinesischen Städten keine neue Erscheinung. In Shanghai haben Caféhäuser Tradition.

Nachdem sich 1840 westliche Kolonialmächte durch den ersten der »ungleichen Verträge« Hoheitsrechte über die Stadt erzwungen und mit den Konzessionen (1845 Großbritannien, 1848 Amerika, 1849 Frankreich) eigene Wohnviertel, einschließlich Verwaltung, Polizei und Gerichtsbarkeit, errichtet hatten, verwandelte sich Shanghai in eine internationale Stadt. Natürlich verlangte es die dort ansässigen oder durchreisenden Ausländer nach ihrem stärkenden braunen Gebräu. Bald entstanden in den Seitenstraßen des Bund westliche Cafés, in denen heimwehkranke Matrosen, westliche Geschäftsleute und ihre chinesischen Geschäftspartner, die Kompradoren, verkehrten. Das wiederum zog käufliche Damen westlicher oder einheimischer Herkunft an. Später, in den 20er und 30er Jahren des 20. Jahrhunderts, gesellten sich chinesische Intellektuelle und Literaten als Caféhausgäste hinzu; sie schätzten die Möglichkeit, bei einer Tasse anregendem Kaffee lange sitzen, sich unterhalten und ungestört schreiben zu können. Szenen, wie sie der österreichische Maler Friedrich Schiff, der 1930 nach Shanghai kam, mit seinem schnellen, karikierenden Strich unvergleichlich festgehalten hat.

Obwohl das Deutsche Reich kurzzeitig Besitzungen – das sogenannte Schutzgebiet Kiaotschou (Qingdao) – unterhielt, wurde Deutschland in China weniger als Kolonialmacht denn als Wirtschaftsmacht wahrgenommen. Deutsche Firmen waren bereits vor dem Ersten Weltkrieg in Shanghai präsent. Das kaiserlich-deutsche Generalkonsulat hatte ab 1884/85 seinen Sitz am Zusammenfluss von Suzhou Creek und Huangpu, auf dem Grundstück des heutigen Seagull-Hotels, von dessen flussseitigen Zimmern man noch heute die spektakuläre Aussicht der damaligen Diplomaten nachvollziehen kann. Dort standen auch die evangelische Kirche und die Kaiser-Wilhelm-Schule, die zusammen das »erste deutsche Eck« bildeten. Seit 1904 residierte die deutsche Kaufmannschaft mit dem Club Concordia in bester Lage am Bund auf dem Grundstück der heutigen Bank of China. Der 48 Meter hohe Turm des Clubhauses hielt zeitweilig sogar den Höhenrekord der Stadt.

1910 lebten bereits tausend Deutsche in der Stadt. Nach der Repatriierung der während des Ersten Weltkriegs Ausgewiesenen wuchs die Zahl der deutschen Firmen weiter. Da das Deutsche Reich nicht zu den Siegermächten gehörte, trat man den chinesischen Geschäftspartnern nun als gleichberechtigte Handelsnation gegenüber, wovon vor allem die Waffenindustrie profitierte. Die intensiven Handelsbeziehungen und die verstärkte Präsenz in der Stadt belebte die Nachfrage nach den vertrauten Nahrungsmitteln. Das *General Business Directory Shanghai* listet 1925 bereits eine Reihe von Cafés und Konditoreien mit deutschen Besitzern sowie die »einzige deutsche Molkerei in Shanghai«.

Ein gewisser Curt Fiedler zum Beispiel war 1925 aus Stuttgart nach Shanghai gekommen und betrieb zusammen mit seiner Frau an der belebten Bubbling Well Road, der heutigen Nanjing Xilu, eine große Konditorei mit Kaffeehaus, Tanzsaal und zahlreichen Angestellten, das »Café Federal« oder »Feda«. Schon bald konnte er eine Filiale am Broadway North eröffnen. 1927 ließ sich in unmittelbarer Nachbarschaft ein Ableger der traditionsreichen Konditorei Kiesling und Bader, die bereits 1901 von Alfred Kiesling in Tianjin gegründet worden war, nieder. Das »Neue Kiesling« (»Xin Kaiseling«) wurde von einem Chinesen geführt, der sein Handwerk im Stammhaus gelernt hatte. Noch heute kann man dort im Parterre Kuchen und Torten kaufen, im ersten Stock Kaffeetrinken und im zweiten Stock eine westliche Mahlzeit zu sich nehmen.

Die 1930er Jahre brachten viele Emigranten nach Shanghai und neue Kundschaft in die Cafés. Sie wurden zu Sehn-
suchtsorten für all jene, die ihr Land unfreiwillig hatten
verlassen müssen. Das waren zu jener Zeit vor allem Juden
aus Nazi-Deutschland und dem 1938 »angeschlossenen«
Österreich. Für die meisten von ihnen war Shanghai der
»letzte Hafen«, da viele demokratische Länder angesichts
der Flüchtlingsströme ihre Einreisebestimmungen massiv
verschärften. In Shanghai dagegen konnte man ohne Visum und Bürgen einreisen. Auf diese Weise konnten sich
zwischen 1938 und 1941 etwa 17 000 Juden aus Mitteleu-
ropa per Schiff oder über den Landweg in die »Stadt über
dem Meer« retten, die sonst in Konzentrationslager gebracht worden wären.

Zunächst hatten die Flüchtlinge Bewegungsfreiheit und
konnten das Angebot der inzwischen über die ganze Stadt
verteilten Cafés in Anspruch nehmen, sofern es ihre finan-
ziellen Mittel erlaubten, denn ab 1938 gestatteten die deutschen Ausreisebehörden die Mitnahme von nur einem Kof-
fer von maximal 20 Kilo und 10 Reichsmark. Als 1941 die
Japaner, die schon seit 1937 Teile der Stadt besetzt hielten,
in Pearl Harbor den Kriegseintritt der USA provozierten,
verschärfte sich die Lage der Flüchtlinge. Sie galten den
Japanern fortan als »Sicherheitsrisiko« und wurden in dem
nördlich des Suzhou Creek gelegenen Stadtteil Hongkou
ghettoisiert. Dort hatten wohlhabende Shanghaier Glau-
bensbrüder, vor allem die armenische Unternehmerfamilie
Sassoon, Wohnblocks für die Ankommenden gebaut, die jedoch bald hoffnungslos überfüllt waren.

Auch im Ghetto gab es Bedarf an heimatlicher Kaffeehaus-
kultur, und so entstanden das »Café Wien« und das »Roof
Garden Restaurant«, wo Wiener Musiker aufspielten,
»Horn's Imbiss-Stube« und das »Café Atlantic«. Von den
beiden letzteren sind in der Haimen Lu (Nr. 159 bzw. 127)
noch die Ladenschilder zu besichtigen, was der beherzten

99

Rettungsaktion der deutschen Auslandskorrespondentin
Steffi Schmitt zu verdanken ist, die in ihrem Buch »Shanghai-Promenade. Spaziergänge zwischen den Zeiten« (siehe
Buchempfehlungen) sachkundig durch dieses und viele andere Shanghaier Viertel führt.

Die Wohnblocks des ehemaligen jüdischen Ghettos, damals Heime genannt, werden heute von Chinesen bewohnt,
und man kann sich beim Umhergehen die drangvolle Enge
der damaligen Wohnverhältnisse gut vorstellen. Das Museum, das der Ohel-Moishe-Synagoge angeschlossen ist
(No. 62 Changyang Lu, geöffnet von 9–16 Uhr), bietet eine
eindrucksvolle Dokumentation, durch die wir von Wang
Faliang geführt wurden. Der alte Herr, Jahrgang 1919, hat
noch mit vielen der im Ghetto lebenden Emigrantenkinder
gespielt, darunter auch mit Michael Blumenthal, dem der-
zeitigen Leiter des Jüdischen Museums Berlin.

Wegen der Seeblockade, die dem Kriegseintritt der Ameri-
kaner folgte, blieb der Kaffeenachschub aus, doch selbst
das konnte den Shanghaier Kaffeehäusern auf Dauer nichts
anhaben; man bezog seine Kaffeebohnen fürderhin aus dem
westchinesischen Hochland, der Provinz Yunnan. Und dank
der zunächst durch ihre westlichen Arbeitgeber im Kondi-
torhandwerk ausgebildeten chinesischen Angestellten über-
standen einige der Etablissements auch die Internierung
und spätere Ausweisung der Ausländer. Sie waren nämlich
nach der Machtübernahme der Kommunisten 1949 fast
alle in ihre Heimatländer zurückgeschickt worden.

Einschneidender war da schon das ideologische Verdikt
der Kommunisten, bei denen das untätige Herumsitzen in
Cafés als »bourgeois« und dekadent galt. Einige Cafés be-
antragten daraufhin eine Lizenz als Speiselokale und über-
lebten, staatlich geführt und unter geänderten Namen, auf
diese Weise die kargen Jahre im real existierenden Sozialismus, zum Beispiel das bereits erwähnte »Deda«, in das
der Oberinspektor die Kollegin Rohn ausführt:

Erst als das [Peace] Hotel in Sicht kam, fiel es ihm wieder ein: »Ich habe Ihnen ja ein Abendessen versprochen! Das habe ich völlig vergessen, Inspektor Rohn.«
»Es ist ja erst fünf Uhr. Ich bin noch gar nicht hungrig.«
»Was halten Sie vom Deda? Das ist nicht weit von Ihrem Hotel. Wir könnten zu Fuß hingehen.«
Das Deda war ein zweistöckiges Restaurant an der Kreuzung Nanjing und Sichuan Lu. Seine Fassade im europäischen Stil bildete einen scharfen Kontrast zum Eingang des in unmittelbarer Nähe gelegenen Zentralmarkts.
»Während der Kulturrevolution hieß es ›Arbeiter-, Bauern- und Soldaten-Restaurant‹«, erklärte Oberinspektor Chen. »Jetzt hat es wieder seinen alten Namen, Deda, was so viel bedeutet wie ›Das große Deutsche‹.«
Das Erdgeschoss war besetzt von jungen Leuten, die rauchten, redeten und Sehnsüchte oder Erinnerungen in ihre Kaffeetassen rührten. Er führte Catherine in den ersten Stock, wo auch Speisen serviert wurden. Sie suchten sich einen Tisch am Fenster mit Aussicht auf die Nanjing Lu. Sie bestellte ein Glas Weißwein, er Kaffee und ein Stück Zitronen-Tarte. Auf seine Empfehlung hin probierte sie ein Stück von der Hausspezialität, der Maronentorte.[*]
Der alte, inzwischen wieder angenommene Name dieses Lokals, von dem aus man noch immer bei einer Tasse Kaffee gemütlich auf die geschäftige Nanjing Lu hinabschauen kann, setzt sich aus den Schriftzeichen *de* 德 Tugend und *da* 大 groß zusammen, wobei Ersteres aus lautlichen Gründen auch zur Bezeichnung für »deutsch« verwendet wird. Deutschland, *deguo*, hat also in China die Ehre, als

---

[*] Qiu Xiaolong, Die Frau mit dem roten Herzen. Ein Fall für Oberinspektor Chen. Wien 2004, S. 159.

»Tugendland« zu gelten. Die Namensgeber des Lokals hatten wohl eher »die große Tugend« als »das große Deutsche« im Augen, und Qiu Xiaolong hat diese Lesart, wenn auch korrekt, wohl eher seinem deutschen Lesepublikum zuliebe gewählt.

Ein paar Querstraßen östlich, ebenfalls an der Nanjing Donglu, liegt ein anderes Café, das gleichermaßen wechselnde Namen und Regime überdauert hat, das »Donghai« oder »Ostmeer«. Es ist mein Lieblingscafé, seit ich dort 1990, als Shanghai noch längst keine glitzernde Boomtown, sondern ziemlich grau und abweisend war, eines kalten Februartages mit wunderbar starkem Kaffee und einem sensationellen Apfelkuchen mit Eischneehaube gestärkt wurde. Das Lokal ist, wie auch das »Deda«, weiterhin staatlich geführt und sein beige-braun plüschiges Dekor mit den an Vorortzüge erinnernden Sitznischen verbreitet den Charme der 1950er Jahre.

Auch hier gilt die Trennung von Speiselokal im ersten Stock, wo westlich anmutende Tellergerichte zu Fassbier serviert werden, und dem Cafébetrieb im Parterre. Dort gibt es nach wie vor guten Kaffee und hervorragende Backwaren, die auch außer Haus verkauft werden. Als ich Qiu Xiaolong von meiner Präferenz erzählte, wusste er dazu auch gleich eine Geschichte. Im »Donghai« konnte man in seinen Kindertagen für ein paar Fen den Kaffeesatz aus den großen Kaffeemaschinen kaufen, um sich dann zu Hause durch nochmaliges Aufkochen wässrigen, aber nichtsdestotrotz echten Kaffee zu brauen.

Kommt man abends erschöpft vom Touristenrummel am Bund dort vorbei, so sollte man sich im ersten Stock ein gezapftes Bier und den legendären Shanghaier Kartoffelsalat – in phonetischer Annäherung schlicht *sela* genannt – gönnen. Chen Danyan – die es wissen muss, denn das Rezept stammt von ihr – beschreibt ihn in ihrem Shanghai-Buch (siehe Buchempfehlung) als ein Hybrid, eine

Kreation, die ihren Ursprung nicht in einem einzigen europäischen Land hat, sondern den Shanghaiern als Inbegriff westlichen Salats gilt.

Inzwischen herrscht in der Stadt kein Mangel mehr an Plätzen, wo man gepflegt Kaffee trinkt und authentische Kuchen und Torten verspeisen kann. Für jeden Geschmack ist etwas geboten: Man kann im »New Heights Café« am Bund No. 3 bei bester Aussicht Schokoladenkuchen genießen (»Serious chocolate cake with serious cream«), sich im ehemaligen Feuerwehrhaus an der Huaihai Zhonglu von seiner Einkaufstour erholen oder eine schnelle Tasse Kaffee in einer der Filialen des »Shanghai Coffee UBC«, Shanghais Antwort auf »Starbucks«, zu sich nehmen. Die Kette hat überall dort Filialen, wo es die pflastermüden Touristen nach Stärkung und Ruhe verlangt, etwa am Volksplatz oder gegenüber dem Paramount unweit des Jing'an-Tempels. Man kann dort in weiche Fauteuils sinken und zwischen verschiedenen ungemischten Kaffeesorten wählen, darunter jamaikanischer »Blue Mountain« oder burmesischer »Mandalay«, die individuell in kleinen Kaffeekochern zubereitet werden.

Längst sind Cafés in Shanghai nicht mehr nur Rückzugsorte für heimwehkranke Ausländer. Heute genießen dort Chinesen aller Altersgruppen das braune Gebräu, das früher verächtlich »Hustensirup« genannt wurde.

Ein Sehnsuchtsort der besonderen Art sei hier zum Schluss noch erwähnt: »The Old China Hand Reading Room« ist ein Café mit angeschlossenem Buchladen und Bibliothek, wo man bei einer Tasse Kaffee und mithilfe der wunderbaren Bildbände von Tess Johnston und Deke Erh (siehe Buchempfehlungen) oder der Nachdrucke alter Adressbücher und Lebensberichte von Old Chinahands ins Shanghai der Konzessionen abtauchen kann (empfehlenswert nach einem Spaziergang entlang der Huaihai Lu).

→ Old China Hand Reading Room, No. 27 Shaoxing Lu
Deda und Donghai, 143–145 Nanjing Lu und Ecke
Shatian Lu, nahe Sichuan Lu
Xin Kaiseling, No. 1001, Nanjing Xilu

Wen nach der Rückkehr aus Shanghai Heimweh nach diesem kosmopolitischen Ort zwischen den Welten und Zeiten packt, der sollte sich zu Hause Chen Danyans Shanghaier Kartoffelsalat zubereiten. Exotik ist nämlich keine
Einbahnstraße.

Shanghai Sela
Shanghaier Kartoffelsalat

Für 2–3 Personen:
500 g Pellkartoffeln
1/8 l Brühe
2 EL Essig
Salz, Pfeffer aus der Mühle
Zucker
1 säuerlicher Apfel
150 g gekochter Schinken
1 kleine Dose grüne Erbsen (ca. 125 g)
ca. 100 g Mayonnaise

Die Kartoffeln schälen und in kleine Würfel schneiden. Die
Brühe mit dem Essig erhitzen, mit Salz, Pfeffer und Zucker
würzen und etwas abkühlen lassen. Über die Kartoffeln gießen. Etwas ziehen lassen. Den Apfel schälen, entkernen und
wie den Schinken klein schneiden. Beides mit den Erbsen zu
den Kartoffeln geben. Die Mayonnaise unter den Kartoffelsalat rühren und mindestens 30 Minuten durchziehen lassen.

Die Autoren

Susanne Hornfeck ist Übersetzerin aus dem Chinesischen und Englischen und Autorin von Sachbüchern zur chinesischen Heilküche. In diesem Herbst erscheint ihr erster Roman. Fünf Jahre unterrichtete sie an der National Taiwan University in Taibei. Heute lebt sie in Schliersee bei München. 2007 wurde ihre übersetzerische Arbeit mit dem C. H. Beck-Übersetzerpreis gewürdigt.

Qiu Xiaolong wurde 1953 in Shanghai geboren. Er arbeitete als Übersetzer, Lyriker und Kritiker. 1988 reiste er in die USA und kehrte nach dem Massaker am »Platz des Himmlischen Friedens« (Tiananmen-Platz) nicht nach China zurück. Seit 1994 lehrt er an der Washington University St. Louis chinesische Literatur und Sprache und arbeitet als freier Schriftsteller.

Orts-, Sach- und Namenregister

Restaurants, Bars, Kaffee- und Teehäuser

Rezepte und Lebensmittel

Buchempfehlungen

Gute Reiseführer für Shanghai erscheinen zahlreich und in jeweils aktualisierter Form, auch die Merian-Hefte über die Stadt sind eine nützliche erste Orientierung. Hier soll nur auf einige wenige Titel hingewiesen werden, die nicht sofort ins Auge fallen, aber als Begleiter bzw. Vor- oder Nachlektüre einer Shanghai-Reise ganz besonders zu empfehlen sind.

Steffi Schmitt: Shanghai-Promenade. Spaziergänge zwischen den Zeiten. 2. überarbeitete und erweiterte Auflage. Abera Verlag, Hamburg 2007.

Chen Danyan: Shanghai. China's Bridge to the Future. Reader's Digest Association, Pleasantville, NY, 2005.

Ein Bild vom Shanghai des frühen 20. Jahrhunderts geben:

Vicki Baum: Hotel Shanghai. Kiwi Taschenbücher Nr. 468, Köln 1997 (erstmals erschienen 1939).

Hergé: Tim und Struppi – Der Blaue Lotos. Carlsen Comics (erstmals erschienen 1934).

Tess Johnston: A Last Look – Revisited. Western Architecture in Old Shanghai. Old Chinahand Press, Hongkong/Shanghai, 2. erweiterte Ausgabe 2004.

Inhalt